Fiestas

MARCELA COO

Fiestas

IDEAS, TRUCOS Y CONSEJOS DE UNA PARTY PLANNER PARA CREAR LA CELEBRACIÓN PERFECTA

LIBROS CÚPULA

© del texto: Marcela Coo Müller, 2016
© de las fotografías: Miriam Núñez (www.kissanchips.com), excepto: Marcela Coo Müller, , pp. 8, 10, 11, 18, 21, 59, 61, 115, 159, 182, 183, 186, 188, 189, 190, 191, 197; Andrés Giorzo (www.andresghiorzo.tumblr.com), Capítulo Indios, Mai Oltra (www.mailovefeels.wordpress.com), pp 170, 171, 177, 179.

Diseño y maquetación: Alicia Guillén – Oh My Goodies (www.ohmygoodies.es)

Galletas decoradas y recetas:
Larysa Severinova (www.larycookies.com)
Elisabeth Farreras (www.aguakt.com)

Ayudante de producción y apartado Photocall:
Raquel Sáez Engo (www.eventoselcolumpio.com)

Primera edición: mayo de 2016

© Editorial Planeta, S. A., 2015
Av. Diagonal, 662-664, 08034 Barcelona (España)
Libros Cúpula es marca registrada por Editorial Planeta, S. A.
www.planetadelibros.com

ISBN: 978-84-480-2224-2
D. L: B. 3.271-2016

Impresión: Cayfosa

Impreso en España – *Printed in Spain*

DECORACIÓN Y AMBIENTE DE FIESTA

RECETAS BÁSICAS

IMPRIMIBLES Y PATRONES

A mis padres, a mis hijas Carlota y Olivia y en especial a Guillermo, por creer en mí desde un inicio y acompañarme en este desafío que me hace tan feliz.

A todas las personas que alguna vez han leído el blog, que nos siguen en redes sociales o que simplemente han confiado en La Fiesta de Olivia para la celebración de algún evento. Todos esos comentarios nos inspiran día a día y nos han hecho crecer. Muchas gracias.

Mi mundo

Nunca pensé que la idea de montar una fiesta especial para mi hija mayor en 2009 se iba a convertir en lo que es ahora La Fiesta de Olivia. Quería organizar una pequeña reunión familiar diferente, llena de cariño y detalles con mi estilo propio, como las que yo recordaba que montaba mi madre para mí de pequeña.

Y así, sin darme cuenta, me volví una *party planner*. Diseñé y creé una fiesta con muchos detalles hechos a mano, ya que en las tiendas españolas no encontraba nada como lo que tenía en mente. Pensé que a otras madres les pasaría lo mismo y de ahí surgió la idea de crear La Fiesta de Olivia.

Soy diseñadora industrial e interiorista y durante muchos años me he dedicado a diseñar ambientes agradables y acogedores. Por eso me apasionaba la idea de ayudar a otras personas a organizar fiestas bonitas.

Así nació el blog y tienda online La Fiesta de Olivia, con muchísimo trabajo, cariño y dedicación, cuidando cada detalle.

Hoy, varios años después, en La Fiesta de Olivia ayudamos cada mes a organizar y decorar cientos de fiestas de cumpleaños infantiles, bodas y eventos.

Las nuevas fiestas

En nuestra cultura celebramos los momentos más importantes y felices de nuestras vidas. Las celebraciones nos importan ¡y mucho! Los recuerdos de nuestros primeros cumpleaños, aniversarios o de nuestra boda nos quedan grabados en la mente y registrados con miles de fotografías y vídeos que luego rememoramos y nos hace mucha ilusión volver a ver. Compartimos estos momentos con las personas a las que más queremos, por lo que siempre pretendemos que nuestra fiesta sea única, que sea realmente «nuestro» momento.

Creo que los detalles hacen que una fiesta sea un acontecimiento especial y único.

Montar estas fiestas tan especiales se ha convertido en una afición para muchos… Sin querer han ido naciendo nuevas *party planners*. Se trata de un hobby que nace de la combinación de aficiones como las manualidades, un poco de cocina, scrapbooking y algo de diseño gráfico.

Cómo utilizar este libro

Este libro es un complemento del blog de La Fiesta de Olivia; en él encontrarás respuesta a muchas de las preguntas que nos plantean a menudo nuestras clientas y las claves que utilizo día a día para crear las fiestas más bonitas.

No es únicamente un libro con proyectos DIY de fiestas, es una herramienta de inspiración y recursos para que puedas celebrar una fiesta hecha por ti, con tu toque único y personal. En estas páginas encontrarás ideas prácticas y originales, proyectos paso a paso, recetas básicas e infalibles y los recursos gráficos necesarios para que puedas montar tu propia fiesta tanto para niños como para adultos y, lo más importante de todo, ¡disfrutar del proceso!

He querido dividir este libro en tres grandes partes:

• **Organiza y diseña tu fiesta.** Es donde nos inspiramos y ponemos las ideas en orden para que todo salga perfecto.

• **Ideas para fiestas.** Aquí encontrarás una selección de ocho fiestas de diferentes temáticas sobre las que te mostramos todo el proceso de creación: lo que nos inspiró, la mesa, ideas, recetas y el diseño gráfico que escogimos para la ocasión.

• **Decoración y ambiente de fiesta.** Sección en la que ofrecemos una selección de ideas y proyectos DIY que seguro que te ayudarán a la hora de crear tu fiesta perfecta.

Creo que el diseño gráfico es un elemento básico y fundamental a la hora de montar una fiesta personalizada y especial; es lo que marcará la diferencia siempre. Por eso hemos creado para ti piezas gráficas que podrás descargar en nuestro blog www.lafiestadeolivia.com o a través de un código QR que te llevará directamente al archivo digital descargable. Invitaciones personalizadas para tu fiesta, etiquetas, meseros, cartelería para tu mesa… Más de cuarenta diseños que podrás descargar en tu ordenador, personalizar si quieres, imprimir, recortar ¡y listo!

¡SIGUE LOS ICONOS PARA UNA BÚSQUEDA RÁPIDA!	
✂ DIY	💡 IDEAS
👨‍🍳 RECETAS	🖨 IMPRIMIBLES

Organiza y diseña tu propia fiesta

Elige un tema

El tema es, sin lugar a dudas, el punto de partida a la hora de diseñar cualquier fiesta. Celebramos los diferentes hitos de nuestra vida que nos hacen felices. El nacimiento de un bebé, nuestros cumpleaños, una boda, la llegada del verano, el primer día de cole… hay miles de momentos que merece la pena celebrar.

BABY SHOWER

NACIMIENTOS

CUMPLEAÑOS

MATRIMONIO

BAUTIZO

PRIMERA COMUNIÓN

PASCUA

DESPEDIDAS

BIENVENIDAS

AÑO NUEVO

NAVIDAD

FIESTAS DE CADA PAÍS

COMIENZO DEL NUEVO CURSO ESCOLAR

GRADUACIÓN

Los temas de fiestas infantiles más utilizados en España

Éste es un listado de las fiestas temáticas más utilizadas por nuestras clientas. Son sólo ideas por si estás en blanco, pero recuerda que todos los temas valen.

En el caso de las fiestas de adultos, salvo fechas como Halloween o Navidad, no suele haber una temática específica.

Eso sí, siempre nos basamos en una gama de color o en un estilo específico que nos sirva de guía a la hora de diseñar la celebración.

NIÑOS	NIÑAS	PARA TODOS	BEBÉ
Piratas	Princesas	Circo	Animales del zoo
Superhéroes	*Frozen*	«Top Chef»	Camiones
Fútbol	*Tea party*	Halloween	Molinillos
Deportes	Bailarinas	Magia	Globo aerostático
Safari	*Spa party*	Caballos	Nubes
Coches	Ponis	Artistas	Estrellas
Vaqueros	*Shabby Chic* flores	Cine y palomitas	Topos y rayas
Marinero	Alicia	Primer día de colegio	Tipi indio
Dinosaurios	Sirenas	Navidad	La granja
Exploradores	Fiesta de pijamas	Pascua	Patitos amarillos
Astronautas	Galletas	Indios	Dibujos animados
Surferos	Cuentos tradicionales	*Rock star*	Abecedario
Skaters	Hadas	*Happy smile*	Bajo el mar

Elige un color

Una vez tenemos la temática de la fiesta es muy importante fijar una paleta de color que nos marcará y nos guiará en todo el proceso de diseño.

Existen combinaciones de color y materiales que suponen un éxito seguro. Elige la tuya y no fallarás.

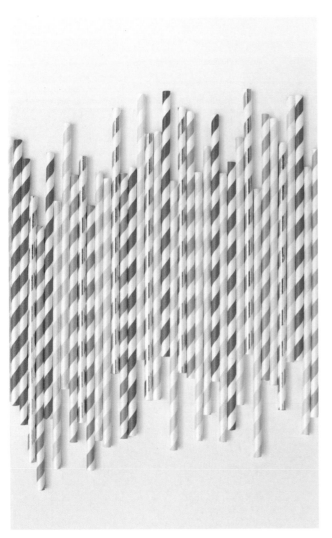

¿Qué significa cada color?

La rueda de color o círculo cromático se basa en el arcoíris y representa la variedad de colores visibles por el ojo humano, lo que permite entender cómo se relacionan entre sí para conseguir determinados efectos. Esto es aplicable a cualquier ámbito del diseño.

COLORES PRIMARIOS

Son el rojo, el amarillo y el azul. Son colores puros, a partir de cuya mezcla se obtienen todos los demás, excepto el blanco y el negro.

COLORES SECUNDARIOS

Surgen de la combinación, a partes iguales, de dos colores primarios. Son el naranja (rojo y amarillo), el verde (amarillo y azul) y el violeta (rojo y azul).

COLORES COMPLEMENTARIOS

Son el resto de colores del círculo, que resultan de la mezcla de primarios y secundarios en distintas proporciones, dando lugar por ejemplo al coral o al verde menta. La diferencia de tono se consigue tras la inclusión de blanco o negro.

ARMONÍA O CONTRASTE

Con los colores que están más próximos entre sí en la rueda de colores lograremos un conjunto armónico, y con los opuestos obtendremos más carácter.

Busca inspiración e ideas

Blogs y tiendas online

Éstos son algunos blogs de referencia. En ellos encontrarás miles de ideas que te inspirarán para montar tu propia fiesta. En casi todos verás montajes increíbles… No te frustres si no consigues que el tuyo quede igual. Es muy difícil, piensa que la gran mayoría de esas fiestas, como algunas de las que verás en este libro, se han montado en un estudio especialmente iluminado para la fotografía y que todo está cuidadosamente pensado y estudiado para obtener el efecto que se busca.

En una fiesta real hay niños, comida casera, gritos, batido de chocolate que se cae y generalmente el lugar y la iluminación no son los adecuados. Pero en mi opinión nada de eso importa, porque para mí lo importante es el cariño que le ponemos y disfrutar del proceso de creación de nuestra fiesta.

El resultado siempre es genial y muy agradecido, al fin y al cabo estamos celebrando y ¿a quién no le gusta celebrar?

Hay muchos blogs que además de dar ideas, proyectos DIY y descargables gratuitos a sus lectores, también son tiendas online donde puedes comprar los productos que ves en sus fiestas, para que así puedas copiarlas.

Las responsables de tiendas online estamos muy al día de las últimas tendencias. Las marcas de todo el mundo sacan sus colecciones de fiestas en las épocas claves del año. En el mundo de las celebraciones existen fechas señaladas como son San Valentín, Pascua, primavera, con la época de bodas, bautizos y comuniones, Halloween, Navidad y Nochevieja. Generalmente por estas fechas veremos las últimas tendencias en fiestas en las diferentes tiendas físicas y online.

Aunque San Valentín y Halloween no son fiestas originalmente nuestras, tendemos a sumarnos a estas celebraciones anglosajonas.

ALGUNAS RECOMENDACIONES DE WEBS

WWW.OHHAPPYDAY.COM

WWW.STUDIODIY.COM

WWW.LAFIESTADEOLIVIA.COM

WWW.MYLITTLEDAY.COM

WWW.FIESTASYCUMPLES.COM

MAGAZINE 04

DECORANDO
UNA BODA OTOÑAL

E-MAGAZINES

WWW.HOORAYMAG.COM

WWW.ALLLOVELYPARTY.COM

Redes sociales

Pinterest se ha convertido en un básico imprescindible a la hora de organizar nuestras ideas e indispensable para inspirarnos y encontrar ideas originales, proyectos DIY y recetas para cualquier tipo de celebración.

Es una aplicación que permite recopilar imágenes y vídeos desde una web, desde tu propio ordenador o a través de una tablet o smartphone. Cada imagen que compartes se llama *pin* y puedes organizar cada uno de ellos en diferentes tableros, que creas según tus preferencias.

Por ejemplo, puedes tener un tablero sobre mesas de fiesta e ir guardando allí todas las imágenes que encuentres en webs que te gusten o las fotografías que puedas tomar con tu propio móvil.

No sólo es ideal para organizar tus fotos, sino que también se puede recurrir a Pinterest como fuente de inspiración consultando sus diferentes categorías: moda, decoración, arte, diseño…

Y si no estamos buscando nada en particular, podemos consultar los más populares en «Más vistos».

Estos tableros están organizados por temas y cada uno de ellos contiene *pins* que nos han gustado de otros tableros o usuarios a los que seguimos.

En La Fiesta de Olivia tenemos nuestro propio Pinterest repleto de inspiración para tus celebraciones. Entra en la web www.pinterest.com, crea tu cuenta y disfruta de ella. Es muy fácil volverte adicta.

Crea tu propio tablero de inspiración

Un tablero de inspiración es la base con la que trabajamos todos los diseñadores a la hora de definir el estilo que tendrá cualquier celebración. En inglés los denominan *mood boards*.

Un *mood board* es un panel tipo collage con imágenes de cosas que nos gustan y que nos pueden inspirar a la hora de diseñar nuestra fiesta.

Una fotografía, recortes de revistas, cartulinas de color, tramas, flores o elementos de la naturaleza, detalles pequeños, cintas, telas… todo vale.

Elige una pared o un corcho y pega en él tus tesoros de inspiración.

Si prefieres hacer un *mood board* digital hay mil recursos y Pinterest es indiscutiblemente el mejor.

Checklist para una fiesta perfecta

Fiestas en casa de más de 24 personas (bautizos, comuniones, 40 cumpleaños…)

Ésta es una lista con las cosas que debemos tener en cuenta al montar una fiesta en casa. No me refiero a una pequeña celebración de cumpleaños de niños, sino a una fiesta con más de veinticuatro personas tipo bautizo, primera comunión o fiesta de adultos con cena o comida en casa.

Seguro que se os ocurren mil cosas que agregar a esta lista… éstos son mis imprescindibles:

3 SEMANAS ANTES DE LA FIESTA

☑ **Confecciona la lista de tus invitados**
Cuenta siempre un 20% más de las personas que quieres que asistan a tu fiesta.

☑ **Decide la temática de tu fiesta**
Si no quieres que todo gire en torno a una temática específica, decide la gama cromática. Esto te ayudará a elegir el resto de los elementos y hará que todo siga una misma línea, te será de gran ayuda a la hora de generar un ambiente agradable y coordinado.

☑ **Envía las invitaciones**
Puedes entregar una invitación física, llamar por teléfono o aprovechar las tecnologías para enviar tu invitación por email o WhatsApp.

☑ **Piensa en el menú**
¿Será un catering o cocinarás tú? Si contratarás un catering, define el menú y resérvalo. Si te lanzas a cocinar tú misma, no tengas miedo. Recopila las recetas que quieras elaborar. Intenta elegir platos que puedas preparar con algo de anticipación, te ayudará a la hora de organizarte.

Confecciona una lista de la compra con todo lo que necesitas. Si tienes que encargar algo en una pastelería o en alguna tienda espacial haz el pedido y déjalo cerrado. Nunca esperes al último minuto con la comida.

☑ **Pide ayuda, no quieras hacerlo todo tú sola**
Si no has contratado una empresa de catering, esto es un detalle que no puede fallar.

Sé que a las que nos gusta montar saraos de todo tipo nos cuesta delegar, pero hazme caso y pide ayuda.

Si quieres poder disfrutar durante la fiesta necesitas al menos a una persona que se encargue de ofrecer bebidas, reponer la comida en la mesa bufet, recoger la vajilla y las servilletas usadas.

Sin duda alguna, contrata a alguien que te ayude a limpiar la casa después de la fiesta… Esto es lo peor de celebrar en casa.

☑ **Prepara la vajilla y mantelería que tengas en casa**
Saca la cristalería y la vajilla que quieras usar ese día y límpiala. No te olvides de tener bandejas y fuentes para servir. Lava la mantelería o llévala a la tintorería si es necesario.

☑ **Crea una lista de música**
Crea una lista diferente para los distintos momentos de tu fiesta. Algo más tranquilo para la llegada de tus invitados, el aperitivo y la cena/comida y más movido para el café y los digestivos. Si quieres que la gente baile y se monte una fiesta divertida, crea una lista de música marchosa y sube el volumen.

☑ Limpieza profunda de tu casa

Si haces dos semanas antes una limpieza profunda de tu casa, la víspera de la fiesta sólo tendrás que dar una pasada rápida.

☑ Prueba la decoración y piensa en el ambiente

Planifica la orientación de las mesas, ubica dónde irá la comida y los rincones que quieres generar. Una zona para la mesa bufet, una esquina para los postres, una pared para el photocall… Planifica la ubicación del espacio y asegúrate de que sea fácil para los invitados moverse de un sitio a otro de la casa.

Identifica los objetos delicados que puedan romperse el día de la fiesta.

Fíjate en el ambiente que quieres generar con la iluminación ese día. A veces basta con cambiar las bombillas por unas de menor voltaje y de luz cálida. Las velas siempre son una buena idea, repartidas por las mesas. Crea grupos de diferentes alturas o incluso cuélgalas de los árboles con farolillos, le darán un toque mágico y muy acogedor a tu fiesta.

Para las fiestas exteriores en verano las guirnaldas de luces siempre son una opción adecuada, proporcionan una iluminación muy agradable y generan un ambiente ideal.

Una mesa para los cafés y postres siempre es buena idea. A veces dejar una cafetera con cápsulas, azúcar y tazas con cucharitas ya basta para que cada uno de los invitados se sirva cuando quiera. Unos chocolates o unas pastas siempre son bienvenidos con un café después de una cena buenísima.

☑ Vajilla desechable o la de casa

Lo más normal es no tener en casa vajilla ni mantelería para una fiesta de más de 24 personas. Aquí comienza la duda que nos asalta a todos a la hora de montar una fiesta en casa. Tenemos dos opciones: la primera es alquilarlo todo en una empresa especializada de las que te lo traen y luego se lo llevan. Esta opción es muy cómoda, pero generalmente eleva mucho el presupuesto de la fiesta. La otra opción es comprar vajilla y mantelería de un solo uso. Ésta es la alternativa más económica y cómoda, ya que una vez acabada la fiesta se tira todo a la basura y nos olvidamos de lavar y secar platos.

A día de hoy se fabrican materiales de un solo uso de estupendas calidades y diseños, con lo que además de ser cómodo, es una manera de decorar tu fiesta y darle ese carácter propio que buscamos.

☑ **Compra las bebidas**

De agua y bebidas no alcohólicas, debes contar como mínimo con un litro por persona. Debes contemplar 3 botellas de vino para 4 personas y, en el caso de los licores, debes calcular 3 o 4 copas por persona para una fiesta de 3 a 4 horas de duración.

3 DÍAS ANTES DE LA FIESTA

☑ **Organiza tu casa**

Guarda en un armario los objetos personales que no quieras que tus invitados vean.

Prepara un pequeño botiquín con medicinas para tus invitados. Puedes dejarlo a la vista en el baño que quieras que utilicen tus visitas.

Selecciona un sitio para dejar los abrigos. Un espacio en un armario cerca de la entrada o sobre una cama en una habitación. Asegúrate de que esa estancia esté recogida y lo ideal sería que fuese la más cercana a la puerta de entrada a la casa, así evitarías que tus invitados invadiesen todo tu hogar.

Haz la compra de toda la comida que necesitas para ese día.

☑ **Avisa a tus vecinos**

Avisa a tus vecinos más cercanos de que celebrarás una fiesta en casa. Comenta con ellos el horario, el volumen de la música y, lo más importante, si esperas que haya muchos coches aparcados en la calle.

1 DÍA ANTES DE LA FIESTA

Monta las mesas donde se colocarán tus invitados, las mesas bufet y los rincones que has pensado.

Compra flores y monta los arreglos florales.

Intenta cocinar todo lo que puedas antes del día de la fiesta.

EL DÍA DE LA FIESTA

☑ **Acaba de preparar la comida de último minuto**

Monta las bandejas con la comida. Una o dos horas antes de que lleguen tus invitados, emplata los aperitivos. No montes nada que deba mantenerse frío y fresco; preséntalo siempre una vez entre el primer invitado por la puerta.

☑ **Instala las sillas**

No te preocupes si no tienes asientos para todos los invitados, no todo el mundo se sienta a la vez. Para los más jóvenes es buena idea generar rincones con telas en el suelo y muchos cojines.

☑ **Hielo**

Pide a alguien de confianza que traiga hielo. Coge 1 kilo de hielo por cada 5 personas. Compra hielo picado para colocar dentro de algunos barreños de latón con un poco de agua y sal. De esta forma tus bebidas se mantendrán frías durante más tiempo y cada invitado podrá servirse su propia consumición.

☑ **Recibe a tus invitados**

En este momento todo debería estar organizado y deberías estar lista para disfrutar de la fiesta y no volver a la cocina.

☑ **Disfruta de tu fiesta y de tus amigos**

¿Qué necesito?

Cálculo de cantidades para una fiesta de cumpleaños de niños

Kit básico de fiesta	Fiesta de 9 a 16 niños	Fiesta de 17 a 24 niños	Fiesta de 25 a 32 niños
Mantel para mesa bufet	1	1	1
Platos (pack de 8 u.)	2	3	4
Vasos (pack de 8 u.)	2	3	4
Servilletas (pack 20 u.)	1	2	2
Cucharitas pastel (1 ud.)	16	24	32
Pajitas de papel (pack 20 u.)	1	1	2
Bandejas para comida	2	3	4
Bases cupcakes (25 u.)	1	1	2
Decoración para el pastel	1	1	1
Velas para soplar	1	1	1
Guirnalda para decorar	1	1	1
Confeti	1	1	1
Globos (pack 5 u.)	3	5	6
Bolsitas piñata (pack 10 u.)	1 o 2	2 o 3	3 o 4
Piñata	1	1	1
Regalitos piñata	3 × niño	3 × niño	3 × niño
Golosinas piñata	80 g × niño	80 g × niño	80 g × niño

Esta tabla es orientativa y está pensada para calcular las cantidades necesarias para un kit básico de fiesta de cumpleaños de niños.

Hemos tenido en cuenta las unidades habituales que podemos encontrar según el producto en las tiendas.

En estas cantidades no están contados los adultos que puedan asistir a la fiesta como acompañantes. En caso de montar una mesa bufet es aconsejable aumentar en un 30 % aproximadamente las cantidades de servilletas y de vasos.

Una buena idea es escribir el nombre de cada uno de los invitados en el vaso para evitar así que se pierdan o se confundan.

Invitaciones

Busca una invitación acorde con la temática de tu fiesta o simplemente una que te guste.

En nuestra web encontrarás una amplia selección de invitaciones que podrás elegir y personalizar con tus datos. Entra en lafiestadeolivia.com/pages/libro o escanea el código QR, luego haz click en el apartado invitaciones y sigue las instrucciones que encontrarás allí.

Recibirás por e mail tu invitación para que la puedas imprimir para entregarla en mano, o si lo prefieres puedes aprovechar las tecnologías para invitar por email o WhatsApp.

Si quieres enviarla por WhatsApp, te aconsejo crear un grupo con el nombre de tu fiesta en el que incluyas a todos tus invitados y compartir allí la imagen con tu invitación personalizada. Es una forma práctica y muy divertida, ya que todos los invitados comentarán tu invitación y se generará un ambiente prefiesta genial.

Una llamada de teléfono, como se ha hecho toda la vida, también vale, pero puede ser menos práctica si los invitados son muchos.

IDEAS
PARA FIESTAS

Helados

Una mesa, helados de diferentes sabores, galletas y cucuruchos y muchos *toppings* para que cada cual se sirva su propio helado.

Tonos pastel, muy dulces y luminosos. Verde *mint*, rosa claro, turquesa y algunos toques de amarillo le darán vida a tu fiesta de helados. Los topos y las rayas serán los patrones elegidos, que junto con una divertida cartelería nos darán el toque «dulce» que necesitamos.

Si quieres darle un toque más adulto, siempre puedes agregar algún elemento en negro. Rayas en negro y blanco como fondo le pueden dar un aire actual y moderno a esta fiesta, e incluso puede ser ideal para decorar un rincón de postres en una boda o en una fiesta de adultos.

Esta mesa fue un éxito en la comunión de mi hija Carlota, hacía mucho calor ese día y montamos una barra de helados debajo de un árbol del jardín.

Para montar nuestro bufet de helados utilizamos:

1 mesa de 180×60 cm

1 mantel blanco hasta el suelo
(no queríamos que se vieran las patas de la mesa)

1 marco de fotos para el cartel de «Helados»

1 barreño metálico con hielo donde pusimos 3 cubos metálicos de helado de diferentes sabores

1 soporte para cucuruchos, barquillos y vasitos para los helados

2 botes de cristal grandes para *toppings*

3 cubos metálicos para *toppings*

2 cucharas para servir helados y muchas cucharitas de madera para los *toppings*

Muchas servilletas de los colores de nuestra fiesta

La cartelería de «Helados»

Cuando llega el calor
del verano no hay
nada mejor ni más
divertido que tomarse
un rico helado.
Montar una barra
de helados con *toppings*
para agregar es una
idea original
y que a todos gusta
para cualquier fiesta
al aire libre.

Algodón de azúcar

Cartel de mesa

Imprime este cartel en una
cartulina blanca tamaño
A4, recórtalo y colócalo
dentro de un marco de fotos.
Ubícalo sobre la mesa para
anunciar tu barra de helados.
Este detalle, junto con el
resto de papelería de esta
colección, harán que tu mesa
parezca una auténtica barra
de helados profesional.

Marcasitio

En este caso, los marcasitios nos sirvieron para escribir el sabor de los helados y el tipo de *toppings* que había en nuestra barra.

Descarga el archivo e imprímelo sobre una cartulina tamaño A4. Luego recorta por la línea punteada y dobla la etiqueta por la mitad formando una V. Escribe el contenido que quieras; incluso te pueden servir para poner el nombre de cada invitado y marcar su sitio. Es muy fácil hacerlos y le dará un toque profesional a tu mesa.

Etiquetas para botes

Estas etiquetas están pensadas para que puedas decorar tus botes de *toppings* en tu mesa.

Imprime y recorta los círculos para luego agujerearlos con una perforadora, pasar un cordel y colgarlos de donde más te guste. Si quieres que queden perfectamente circulares, te puedes ayudar con una troqueladora redonda de 2,5" que puedes comprar en cualquier tienda especializada en scrapbooking.

Marcadores de *toppings*

Puedes darle diferentes utilidades a estas etiquetas. En este caso los hemos usado como brochetas para clavar dentro de los botes de *toppings* y darles un toque de color.

También las puedes utilizar como etiquetas para decorar unas bolsitas con golosinas para regalar, decorar unas cajas, los cubiertos… Hay infinidad de detalles que puedes hacer con elementos como estas etiquetas.

Invitaciones

Si a tu hijo le hace ilusión entregar una invitación en mano a su fiesta, imprime estas invitaciones a tu fiesta de helados y escribe en ellas lo que quieras. Si lo tuyo es la tecnología, no dejes de solicitar en este link tus invitaciones personalizadas. Rellena el formulario con los datos de tu fiesta y recibirás tus invitaciones personalizadas digitales en 72 horas en el correo electrónico que nos indiques, para que puedas imprimirlas o enviarlas por WhatsApp a quien quieras.

CARTEL DE MESA

MARCASITIOS

ETIQUETAS PARA BOTES

Personaliza tus galletas

Escribir un nombre o un mensaje sobre tus galletas puede ser un detalle perfecto para regalar en una fiesta como recuerdo o agradecimiento a tus invitados. Estas galletas las hicimos para que Carlota las pudiera dar como recuerdo de su primera comunión.

Decoramos las clásicas galletas de mantequilla caseras con una superficie de fondant y luego estampamos el nombre de Carlota sobre ellas.

EL MISMO MOLDE QUE HAS UTILIZADO PARA DARLE FORMA A TU GALLETA

SELLO CON EL NOMBRE, SIGLAS O DIBUJO CON EL QUE QUIERAS DECORAR TU GALLETA

10 G APROXIMADAMENTE DE FONDANT FRESCO POR
CADA GALLETA QUE QUIERAS CUBRIR

RODILLO DE PLÁSTICO PARA FONDANT

1 GALLETA DE MANTEQUILLA

Paso 1

Paso 1

Sobre una superficie limpia y seca extiende
el fondant con la ayuda del rodillo hasta que
consigas una capa de no más de 3 mm. Si notas
que el fondant se pega a la superficie, puedes
agregar un poco de azúcar glas.

Para un acabado perfecto, utiliza un rodillo
especial para fondant. Éstos tienen anillas
medidoras, que ayudan mucho a la hora
de conseguir una superficie lisa, plana y
homogénea. Los puedes comprar en una tienda
especializada de pastelería creativa.

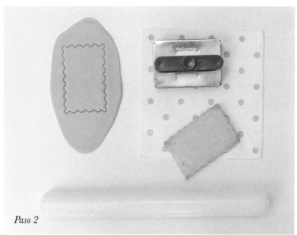

Paso 2

Paso 2

Con la ayuda del cortador, dale la forma de tu galleta.

Paso 3

Con un pincel, moja sutilmente tu galleta y
luego coloca la capa de fondant haciendo que
coincidan los bordes. La humedad hará que el
fondant se fije.

Paso 4

Una vez tengas tu galleta con la capa de fondant
fija, decórala con el sello ejerciendo un poco de
presión.

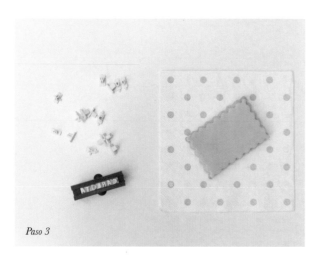

Paso 3

¡Consejo!

Existen sellos especiales para decorar fondant, pero puedes utilizar cualquier otro que te guste.

Una vez decoradas las galletas, déjalas secar una noche y luego envuélvelas de forma individual dentro de una bolsa de celofán y ciérralas con un lazo para que se conserven mejor.

Las galletas de mantequilla duran en perfecto estado al menos 2 meses si están hechas con clara pasteurizada.

CARLOTA

Los cubiertos de madera nos encantan porque son *eco friendly*, reutilizables y, lo mejor de todo, ideales para que los puedas decorar.

Los puedes adornar con pintura a la tiza tipo *chalk paint* o acrílica, los puedes estampar, decorar con purpurina o con washi tape.

Todas las opciones son ideales y sobre todo muy fáciles de hacer… Quedan genial.

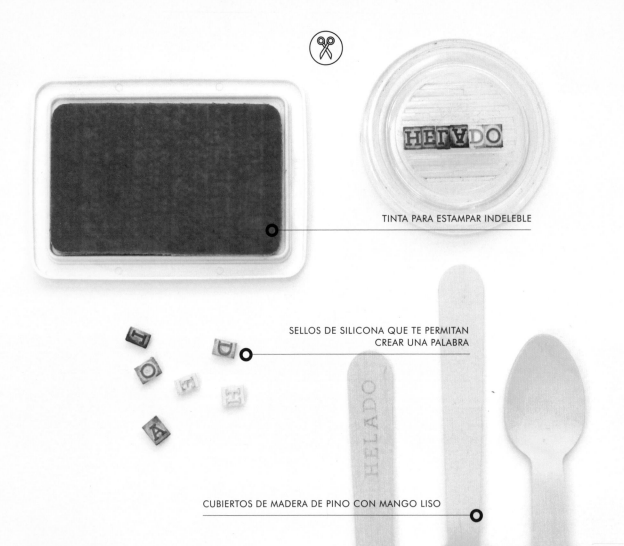

TINTA PARA ESTAMPAR INDELEBLE

SELLOS DE SILICONA QUE TE PERMITAN
CREAR UNA PALABRA

CUBIERTOS DE MADERA DE PINO CON MANGO LISO

Cubiertos decorados

En La Fiesta de Olivia llevamos mucho tiempo estampando cubiertos para nuestros clientes. Nombres, fecha de la fiesta, marca de empresas…, puedes estampar lo que quieras y el resultado es impecable si sigues nuestros consejos.

¡Consejo!

Para estampar tus cubiertos es muy importante que el mango sea liso. En el mercado encontrarás muchos modelos de cubiertos de madera y hay varios que tienen una pequeña hendidura decorativa en el mango… Éstos no nos servirán. Usa tinta permanente. Existen un montón de marcas y variedades de tintas. Nosotras el mejor resultado lo hemos obtenido con tintas de color oscuro, marrón o azul, siempre permanentes y con base de agua. Éstas se fijan muy bien a la madera.
Utiliza muy poca tinta. Si usas demasiada la madera se teñirá en exceso y verás una mancha en vez de una letra.
Estampa siempre sobre una mesa firme.

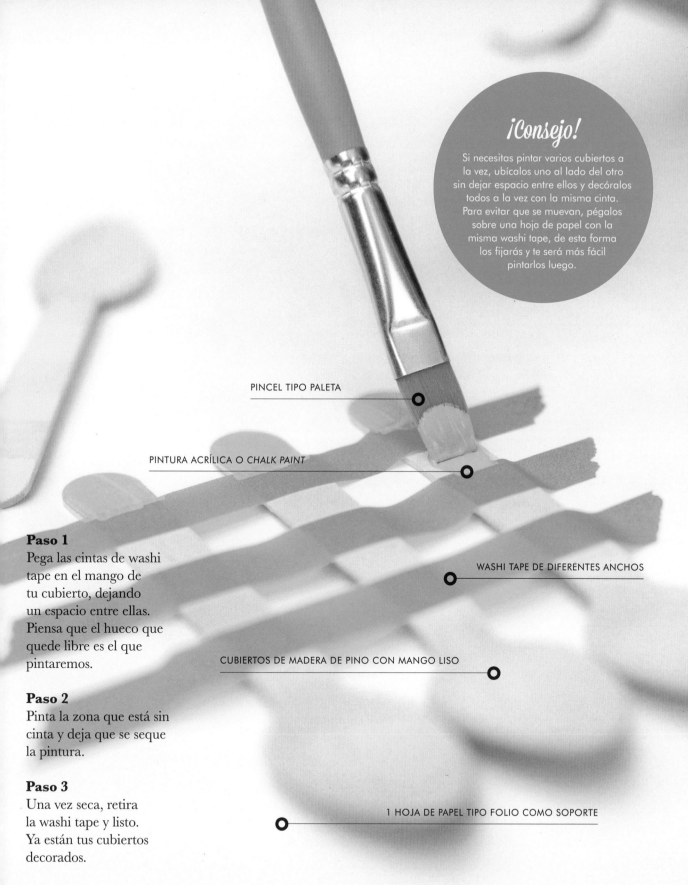

¡Consejo!

Si necesitas pintar varios cubiertos a la vez, ubícalos uno al lado del otro sin dejar espacio entre ellos y decóralos todos a la vez con la misma cinta. Para evitar que se muevan, pégalos sobre una hoja de papel con la misma washi tape, de esta forma los fijarás y te será más fácil pintarlos luego.

PINCEL TIPO PALETA

PINTURA ACRÍLICA O *CHALK PAINT*

WASHI TAPE DE DIFERENTES ANCHOS

CUBIERTOS DE MADERA DE PINO CON MANGO LISO

1 HOJA DE PAPEL TIPO FOLIO COMO SOPORTE

Paso 1

Pega las cintas de washi tape en el mango de tu cubierto, dejando un espacio entre ellas. Piensa que el hueco que quede libre es el que pintaremos.

Paso 2

Pinta la zona que está sin cinta y deja que se seque la pintura.

Paso 3

Una vez seca, retira la washi tape y listo. Ya están tus cubiertos decorados.

Safari

PERÍODO DEL AÑO
Todo el año

IDEAS PARA CELEBRACIÓN
Fiesta para niños en general / cumpleaños / primera comunión

PALETA DE COLOR

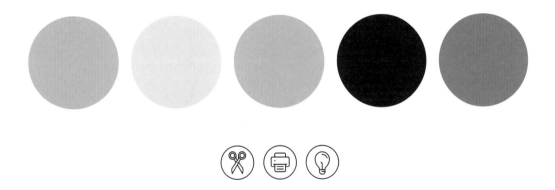

Esta mesa de fiesta es una de mis favoritas. Es elegante a la vez que original y divertida, y además, ¿a qué niño no le gustan los animales de la selva? Es una temática ideal para pequeños y mayores, que inculca el amor por los animales, la aventura y el medio ambiente, dejando a un lado las típicas temáticas comerciales. Los protagonistas indiscutibles de esta mesa son los animales. ¡No te cortes y decora con ellos tu mesa!

Predominan también materiales como el cartón kraft, la vajilla de madera de pino, algunos detalles con pizarra, el yute natural y los cactus, que hemos utilizado para decorar las mesas. Hemos agregado algunos toques de dorado, que tanto nos gusta, para darle un poco de luz a la decoración en general.
Intenta montar una mesa *eco friendly* utilizando vajilla de madera 100 % natural reutilizable, globos de látex orgánicos, un mantel de fibras naturales en vez de plástico y regalando plantas a tus invitados.

Puedes lograr que 12 simples donuts se vuelvan especiales colocándolos en forma de torre sobre una base pastelera y decorándolos con una brocheta decorada. En este caso, una etiqueta de madera le da el toque final a este pastel improvisado.

Pon especial cuidado a la hora de llenar tus botes de animales. Coloca la comida dentro de forma ordenada y no introduzcas demasiada cantidad. Recuerda que es mejor rellenar cuando se acabe que atiborrar los botes de comida hasta arriba.

FIESTA SAFARI

Indicador de fiesta

Siempre es un detalle ideal que nos indiquen dónde
es la fiesta o qué ocurrirá en diferentes rincones.
Señala a tus invitados dónde se celebra la fiesta con
un indicador de madera hecho a medida. Parece
complicado, pero ¡es muy fácil de realizar!

CÚTER AFILADO
REGLA METÁLICA
LISTÓN DE MADERA CUADRADO DE
  2×2 CM
PISTOLA DE SILICONA O COLA
  BLANCA

PLANCHA DE MADERA DE BALSA
DE 100 CM×10 CM×2 MM

LETRAS PARA CALCAR EN COLOR NEGRO

FIESTA SAFARI

Hugo cumple 8 años

Paso 1

Corta tus placas del tamaño que quieras con la ayuda del cúter y de una regla metálica. Ten en cuenta siempre el tamaño de la palabra o frase que quieras escribir. Queda mejor si las placas no son todas iguales ni del mismo tamaño. Puedes acabarlas en forma de flecha, cuadradas, redondeadas o con una forma irregular que simule una madera reciclada. También quedan muy bien pintadas con *chalk paint* y rotuladas con calco de color blanco. Esta opción la usamos mucho para señalar fiestas como bodas o bautizos.

Paso 2

Coloca el calco sobre tu placa de madera de balsa y presiona con la ayuda de un lápiz.
Intenta medir la palabra antes de presionar, asegurándote de que quede centrada en tu placa y recta.

Paso 3

Pega con una pistola de silicona o con cola blanca tus carteles al listón de madera. Es mejor que apunten a diferentes lados y tengan formas irregulares.

Estos carteles pueden utilizarse para señalar todo tipo de fiestas y bodas. Pueden llevar escritas palabras como: baños, photocall, ceremonia, bar…

Botes de animales
para tu *candy bar*

BOTES DE VIDRIO CON TAPA METÁLICA

ANIMALES DE JUGUETE

PINTURA DORADO MATE EN ESPRAY

PEGAMENTO EXTRAFUERTE

Paso 1
Pinta con pintura en espray la tapa de tus botes. En este caso quisimos darle un toque de dorado.

Paso 2
Pega tus animales sobre las tapas con pegamento extrafuerte y espera hasta que se seque y queden bien firmes.

Paso 3
Decora tus animales con las etiquetas con mensajes salvajes.

Otra opción es utilizar *chalk paint* en espray; el acabado es perfecto, y además es muy fácil de utilizar.

Centro de mesa
con cactus

Cualquier planta sirve para hacer un bonito centro
de mesa, pero hemos utilizado las crasas, de la familia
de los cactus, porque necesitan muy poco riego y
nos permiten utilizarlas hasta unos tres días antes de
la fiesta sin necesidad de regarlas cada día. Puedes
encontrar estas plantas en cualquier vivero.

Combina diferentes variedades y tamaños,
creando así grupos de plantas de diferentes alturas.
Agrúpalas siempre en números impares, el resultado
es más armónico.

Sitúalas en el medio de tu mesa, generando un
«camino», y entre ellas ubica a nuestros amigos los
animales de la selva.

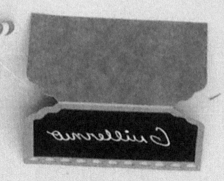

CUERDA DE YUTE NATURAL

PAPEL DE SEDA KRAFT

TIJERAS

LETRAS

ETIQUETA DE CARTÓN KRAFT
CON CORDEL

Regala verde

Regalar una planta a cada invitado de tu fiesta es
regalar vida. Y si la personalizas con una etiqueta,
será un detalle que seguro que les encantará.

PLANTA CRASA O CACTUS EN MACETA

Paso 1

Recorta un trozo de papel cuadrado y presenta tu maceta en el centro. Calcula el papel necesario para forrar tu maceta y que sobren unos 20 centímetros por la parte superior.

Paso 2

Ata con la cuerda de yute todo el contorno de tu maceta y fija el papel con un nudo.

Paso 3

Pega la inicial de cada invitado en la tarjeta y átala a tu maceta.

Utiliza estas plantas como centros de mesa de tu fiesta y luego regálaselas a cada uno.
¡Éxito seguro!

Globos gigantes

Nos fascinan los globos, inspiran diversión, libertad y alegría. Llenan de color cualquier lugar, decoran una esquina y si son brillantes y muy grandes, ¡mucho mejor! Llevamos un tiempo viendo globos gigantes en diferentes blogs de tendencias, publicidad de marcas de lujo y revistas. Se llevan de todas las formas y colores, hinchados con helio o simplemente con aire, con decoraciones tipo guirnaldas de flecos o *tassel*, transparentes llenos de confeti y hasta decorados con purpurina o rotulador.

Son el complemento perfecto a secciones de fotografías tanto de niños como de novios, y por su gran tamaño tienen la cualidad de generar un ambiente más acogedor en fiestas que se celebran en sitios con techos muy altos, hacen que la escala del lugar se vuelva más pequeña.

¡La verdad es que llaman mucho mucho la atención y decoran una barbaridad!

¡Te invito a mi fiesta!

FECHA:

HORA:

LUGAR:

Invitación

Hemos diseñado estas invitaciones pensando especialmente en esta fiesta safari. Imprime tus invitaciones y escríbelas a mano para tus invitados. Son de tamaño A3, pero están montadas de tal forma que por cada cartulina tamaño A4 que imprimas, obtendrás 4 invitaciones.

Mensajes salvajes para tu *candy bar*

Decora los animales de tu *candy bar* con estos mensajes salvajes. Puedes utilizarlos para muchos tipos de contenidos, ya que llevan frases como: «Los más salvajes» o «Ranas venenosas». Elige el fondo que más te guste y ata un cordel.

TIJERAS

PERFORADORA CIRCULAR DE 2 MM

CORDEL DE YUTE NATURAL O *BAKER'S TWINE*

CARTULINA A4 EN COLOR BLANCO
PREVIAMENTE IMPRESA CON IMPRIMIBLE

Banderola «Wild»

Regala a cada invitado una banderola como recuerdo de tu fiesta. Es un elemento decorativo que queda genial colgado en la pared de la habitación o del pomo de una puerta.

Imprime, recorta y pega un listón de madera en la parte superior por ambas caras y agrégale una cuerda de yute con un nudo, tendrá un acabado más profesional.

CARTULINA A4 EN COLOR BLANCO
PREVIAMENTE IMPRESA CON IMPRIMIBLE

CELO DOBLE CARA

LISTONES DE MADERA DE BALSA DE
1 CM DE ANCHO APROX.

TIJERAS

Drink Gin Bar

PERÍODO DEL AÑO
Todo el año

IDEAS PARA CELEBRACIÓN
Fiestas de adultos en general

PALETA DE COLOR

El gin tonic se ha posicionado como la bebida de moda. No hay cena de amigos que no acabe con una buena conversación y una sobremesa con una copita de ginebra con tónica en copa balón con mucho hielo. Hemos querido echarnos unas risas y acabar una cena de amigos con este Drink Gin Bar. ¡A ver si se anima la fiesta!

Esta mesa es prácticamente monocromática. Un blanco y negro de base y acentos de amarillo y dorado. Caritas dibujadas con un trazo grueso en negro le dan un toque de humor a una vajilla básica de color blanco, y el dorado, junto con el amarillo, aporta un toque de luz.

Topos, confeti dorado, rayas negras y blancas, minicorazoncitos en dorado, caritas muy dulces y femeninas hacen que esta inspiración también sea ideal para una fiesta de «sólo chicas».

CHIN! CHIN!

DRINK
GINS
BAR

HENDRICK
GIN

Cartel de bar iluminado

Iniciales, símbolos y letras iluminadas son tendencia en fiestas y están por todas partes. Decoran muchísimo y nos dan mucho juego a la hora de montar una barra de copas de noche. ¿Te atreves a diseñar tu propio cartel iluminado para tu barra de ginebras?

PLANCHA DE CARTÓN PLUMA DE COLOR BLANCO

HOJA DE CALCO NEGRO

PERFORADORA

GUIRNALDA DE LUCES DECORATIVAS A PILAS DE NO MÁS DE 1,5 METROS DE LARGO

CÚTER AFILADO

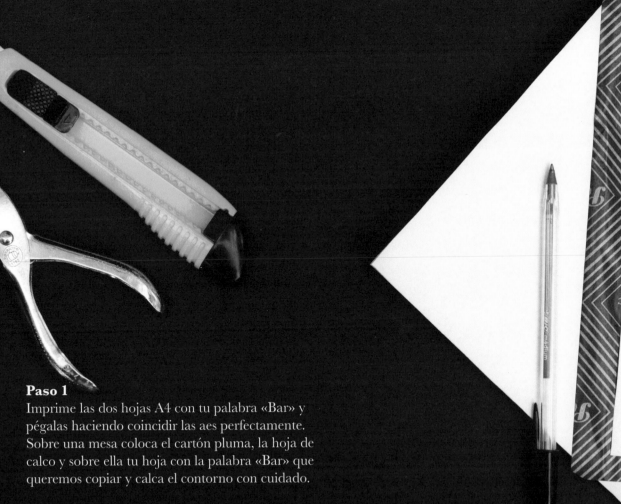

Paso 1

Imprime las dos hojas A4 con tu palabra «Bar» y pégalas haciendo coincidir las aes perfectamente. Sobre una mesa coloca el cartón pluma, la hoja de calco y sobre ella tu hoja con la palabra «Bar» que queremos copiar y calca el contorno con cuidado.

Paso 2

Con el cúter y con mucho cuidado, recorta los contornos de tu palabra «Bar» sobre el cartón pluma.

Paso 3

Ahora, con la ayuda de una perforadora, agujerear todo el centro de tu letra con la misma cantidad de luces que tenga tu guirnalda.

Paso 4

Introduce las luces por los agujeros una a una y pega con un trozo de celo la cara de las pilas por detrás de la guirnalda. Enciéndela y ubícala sobre tu barra de bebidas.

En este caso nos interesaba que la palabra «Bar» fuera de color blanco, pero puedes decorarla forrándola con washi tape, cartulinas de colores o incluso purpurina. Esto debes hacerlo antes del paso 1.

TIJERAS

CELO DE DOBLE CARA

CUBIERTOS DE MADERA CON
MANGO LISO

Cubiertos decorados con purpurina

Como sabéis, nos encanta decorar nuestros
cubiertos preferidos con cuanta cosa hay… En este
caso los hemos forrado de purpurina para darle un
toque más chic a nuestra mesa.

PURPURINA DORADA EN POLVO

Paso 1

Pega sobre el mango de tu cubierto una cinta de celo
de doble cara. Intenta cubrirlo completamente sin
dejar espacios libres. Recorta con las tijeras o un cúter
afilado el celo de doble cara sobrante, no lo dobles.
Todo el celo que dobles hacia atrás luego quedará
lleno de purpurina y no se verá bien acabado.

Paso 2

Ahora «empapa» de purpurina el mango de tu
cubierto. Verás cómo al levantarlo quedará toda
pegada en el celo.

Paso 3

Ahora presiona para que se fije bien y listo.

A diferencia de los cubiertos de madera sin decorar,
no es posible lavar ni reutilizar los decorados.

SAVE THE
DATE

SAVE THE
DATE

FECHA:

HORA:

SAVE THE
DATE

FECHA:

HORA:

LUGAR:

Cartel Drink Gin Bar

Imprime y recorta tu cartel
para señalar tu barra de
ginebra. Queda ideal puesto
dentro de un marco de fotos
o unido con una gran pinza
a una carpeta. No necesitas
imprimir en color, con una
impresora en blanco y negro
y una hoja en blanco basta.

Etiquetas para las pajitas

¡Que no nos confundamos
de copa! Imprime, recorta
y pega estas etiquetas para
pajitas y decora tus copas de
ginebra con el nombre de
cada invitado.

GOD SAVE THE GIN

GOD SAVE THE GIN

Etiquetas

Las etiquetas o indicadores
de mesa son un elemento
básico para darle un toque
profesional a tu mesa.
Descarga, imprime y recorta
tus etiquetas. Dobla tus
indicadores por la mitad y
luego escribe el contenido
de tu mesa de ginebra.
Sorprende a tus invitados
con estos detalles.

Invitación
«Save the date»

Imprime y rellena tu
invitación para que a nadie se
le olvide este sarao que estás
montando. ¡Éxito asegurado!

Indios

PERÍODO DEL AÑO

Primavera / verano. Celebración en exterior

IDEAS PARA CELEBRACIÓN

Bautizo / primera comunión / merienda con niños / cualquier celebración en exterior

PALETA DE COLOR

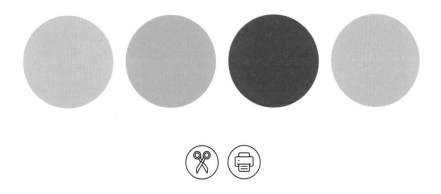

Cuando empieza la primavera, los días comienzan a alargarse y el calor llega, montar una pequeña acampada puede ser una estupenda idea para cualquier fiesta en exterior. Y no necesariamente debe ser una acampada en toda regla, con muy pocos recursos podemos montar un tipi o pequeña tienda de campaña que haga de lugar de encuentro para los niños o incluso para adultos.

Esta primavera pasada, nos fuimos de paseo con mis hijas y primos muy cerca de un lago y dimos con un lugar «de cuento» para montar una acampada. Encontramos un bosque a la orilla del lago que teníamos cerca de casa y montamos una merienda en la que los niños se lo pasaron en grande merendando, jugando a los indios sobre los árboles, y los más pequeños con la arena en la playa.

Esta fiesta puede montarse en la playa, en un bosque o simplemente en un jardín de una casa... Con un poco de imaginación, todo vale.

Plumas, madera, frutos rojos, flores, telas y yute son algunos de los materiales y objetos que nos inspiraron para montar esta acampada india. Debo reconocer que en este caso la clave fue el lugar. La arena de la playa permitió que nuestro humilde tipi se quedara fijo, los niños pequeños jugaran y se entretuvieran toda la tarde, y la vegetación con el lago delante era el marco perfecto.

Un tipi
sin costuras

Los tipis o tiendas de campaña indias están muy de moda. Y después de montar el mío propio entiendo por qué. La verdad es que son ideales para generar rincones de juegos para niños. Les motiva mucho meterse dentro y tener su lugar independiente donde los adultos no entran. ¡Les encanta!

Éste es un tipi casero, lo hemos montado con muy pocos materiales, pues estábamos en el campo… ni siquiera utilizamos hilo y aguja.

Es una estupenda idea montar un tipi indio para entretener a los niños en un rincón de una boda o fiesta de adultos.

2 METROS DE CUERDA DE YUTE NATURAL
1 GUIRNALDA DE BANDERINES O DE LUCES (OPCIONAL)

10 METROS DE CORDEL PARA COLGAR LOS ELEMENTOS DEL INTERIOR DEL TIPI (OPCIONAL)

4 PALOS DE MADERA CUADRADOS DE 2×2
CENTÍMETROS×2,40 METROS DE ALTO
APROXIMADAMENTE

6 PIEZAS DE TELA DE 2,40×1,20 METROS
APROXIMADAMENTE. EN ESTE CASO HE
RECICLADO UNA CORTINA BLANCA DE
UNA TELA LIGERA, UN MANTEL ANTIGUO
CON VOLANTES EN EL BAJO Y UNA
MANTA DE ALGODÓN ELÁSTICA MUY
DELGADA Y ALGO TRANSPARENTE

ELEMENTOS DECORATIVOS
PARA COLGAR DENTRO (OPCIONAL)

¡Consejo!

Intenta utilizar diferentes texturas
en las telas, le dará más riqueza
y más juego a tu tipi.

Paso 1

Ata los extremos de los 4 palos con la cuerda de yute con varias vueltas hasta que quede firme. La altura a la que hagas la unión de los palos determinará el tamaño que quedará dentro de tu tipi. En este caso hemos atado los palos a unos 40 centímetros.

Paso 2

Abre los palos por los extremos inferiores y acomódalos de tal manera que logres formar un cuadrado. La abertura de los palos te marcará el tamaño del tipi. En este caso enterramos un poco los palos en la arena, así no se movían de su sitio. Quedó muy firme.

Paso 3

Cuelga las cortinas de los extremos de los palos de madera superiores y ata la parte de arriba de las telas con un nudo de forma que envuelvas los palos.

No te preocupes si no queda perfecto; es justamente lo que buscamos, debe quedar rústico. Deja que las telas cuelguen y si quieres puedes fijarlas a los palos con chinchetas o grapas. En este caso no fue necesario, ya que las mismas telas fueron fijándose a la estructura de madera por su textura.

Puedes decorar la zona donde se atan las telas con una gran lazada o algún detalle que esconda su unión.

Utiliza los palos del extremo superior de tu tienda para atar una guirnalda de banderines y unas miniguirnaldas de luces a pilas. Estos detalles le darán un toque mágico y dulce a tu rincón.

Atrapasueños

Los atrapasueños son un elemento muy decorativo típico de los indios y pueden ser un detalle muy bonito para colgar o regalar, ya que tienen un significado que me encanta.

Según la creencia popular, su función era filtrar los sueños de las personas, dejando pasar sólo los positivos y atrapando las pesadillas y los pensamientos negativos.

Fuimos a la mercería del pueblo y compramos cosas para hacer nuestro propio atrapasueños.

10 METROS DE CORDEL DE ALGODÓN BLANCO CRUDO

WASHI TAPE

1 BASTIDOR PARA BORDADO DE MADERA DE 28 CENTÍMETROS DE DIÁMETRO

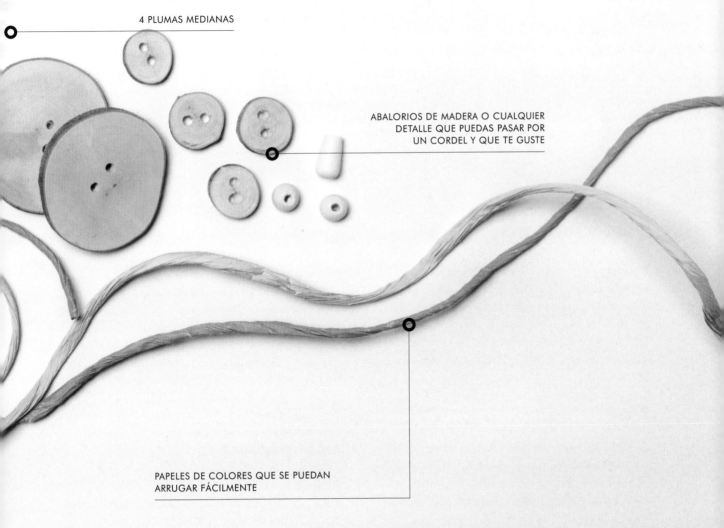

4 PLUMAS MEDIANAS

ABALORIOS DE MADERA O CUALQUIER
DETALLE QUE PUEDAS PASAR POR
UN CORDEL Y QUE TE GUSTE

PAPELES DE COLORES QUE SE PUEDAN
ARRUGAR FÁCILMENTE

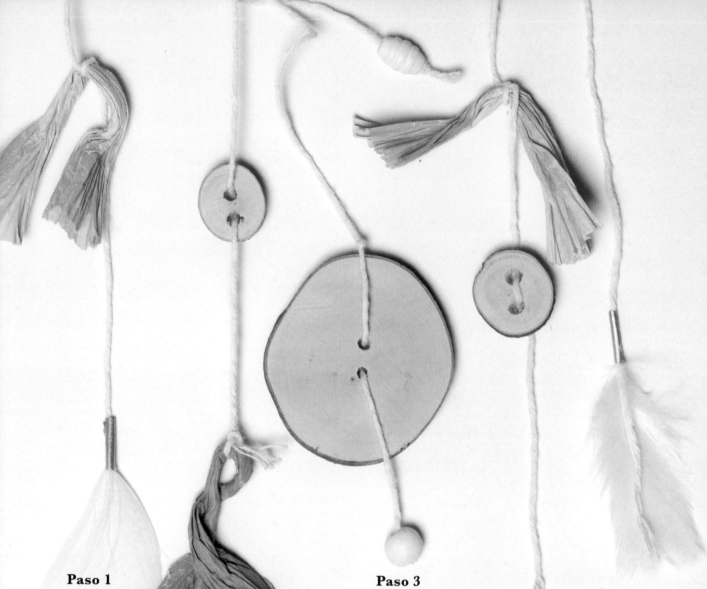

Paso 1

Separa el bastidor y fija una punta del cordel de algodón al aro de madera interior. Ve envolviendo el aro de madera con el cordel de tal forma que vayas «dibujando» o rellenando el círculo. Luego corta el cordel sin soltarlo y átalo al bastidor.

Paso 2

Introduce el círculo pequeño de madera decorado dentro del grande y ciérralo. El círculo exterior fijará el cordel. Una vez tengas el bastidor cerrado es hora de decorarlo con abalorios y plumas que cuelguen y se muevan con el viento.

Paso 3

Corta cordeles de unos 40 centímetros y pasa elementos decorativos a través de ellos. En este caso hemos utilizado botones de madera, abalorios y plumas en los extremos. Utiliza siempre elementos livianos en los extremos para que vuelen con el viento y se logre el movimiento.

Ata las plumas con washi tape y los abalorios con nudos. No te preocupes si no te queda perfecto; la gracia es que sea irregular.

Paso 4

Una vez tengas unos 5 o 6 cordeles decorados, átalos al bastidor de madera.

¡Consejo!

Puedes incluir cascabeles o elementos metálicos que al moverse hagan un sonido agradable y melódico.

Corona
de plumas

No hay fiesta si no hay disfraz. Hicimos coronas
de plumas para las niñas, quería hacerles algo
femenino, con materiales naturales y simples.

¡Consejo!

Agregar flores naturales
también es una idea
estupenda.

1 PISTOLA DE SILICONA O
PEGAMENTO FUERTE

50 CENTÍMETROS DE CORDEL PLANO
DE YUTE

10 PLUMAS BLANCAS DE ENTRE 8 Y 15
CENTÍMETROS APROXIMADAMENTE

30 CENTÍMETROS DE CINTA
DE ALGODÓN DECORATIVO

Paso 1

Corta la cinta del tamaño de la cabeza de tu hija como si fuera una diadema.

Luego pasa entre los agujeros de la cinta el cordel de yute plano y céntrala en el cordel. No cortes el cordel, nos servirá para atarla a la cabeza con un lazo.

Paso 2

Una vez tengas la cinta con el cordel, debes pegar las plumas. Para eso utiliza la pistola de silicona, verás lo fácil que es usarla. Se quedarán fijas enseguida. Reparte las plumas y pégalas en la parte trasera de la cinta.

Paso 3

Si quieres que quede bien acabada, utiliza un poco de cordel de yute para atar los extremos de la diadema y pégalos con la misma silicona. Finalmente, ata un nudo en los extremos de la cinta y ata la tiara de plumas en la cabeza de tu pequeña indiecita.

¡Consejo!

Si no encuentras estos materiales exactos, no te preocupes, cualquier cinta de yute te puede servir. Si quieres darle más color, utiliza plumas de diferentes tonalidades, el resultado también es genial.

Brochetas decoradas

Me parecía genial hacerles una minifogata y derretir las nubes cuando empezara a anochecer. Estas brochetas son muy fáciles de preparar y quedan geniales. Para darles un toque especial y un poco de color, las niñas y yo las decoramos en los extremos.

Si queremos darle un toque más sano a las brochetas, podemos pinchar trozos de fruta fresca.

30 BROCHETAS DE
MADERA LARGAS

3 CELOS DECORADOS TIPO WASHI TAPES DE
COLORES DIFERENTES

10 PLUMAS BLANCAS DE ENTRE 8 Y 15
CENTÍMETROS APROXIMADAMENTE

1 BOLSA DE NUBES BLANCAS GRANDES
O TROZOS GRANDES DE FRUTA
CORTADA EN CUBOS

30 CENTÍMETROS DE CINTA
DE ALGODÓN DECORATIVO

Paso 1

Coge una brocheta y decora los extremos con distintas washi tapes de colores. Puedes forrarlas a lo largo o a lo ancho del palo, deja volar tu imaginación. En este caso hemos pegado plumas con washi tapes de colores en algunas de ellas.

Paso 2

Una vez tengas unos 20 palos decorados, clava las nubes una a una.

Paso 3

Ata todas tus brochetas decoradas con un elástico para que queden bien colocadas verticalmente. Sobre la goma, ata un bonito lazo de tela y colócalas de pie sobre un soporte para pastel que le dé altura.

Lo ideal es que cada invitado elija su brocheta cogiendo el grupo y sacando hacia abajo la que quiera, así el «ramillete» de nubes se quedará de pie para el siguiente.

¡Consejo!

Puedes decorar las brochetas enrollándoles una cinta, atando un lazo en cada extremo o incluso pintándolas con pintura acrílica o *chalk paint*.

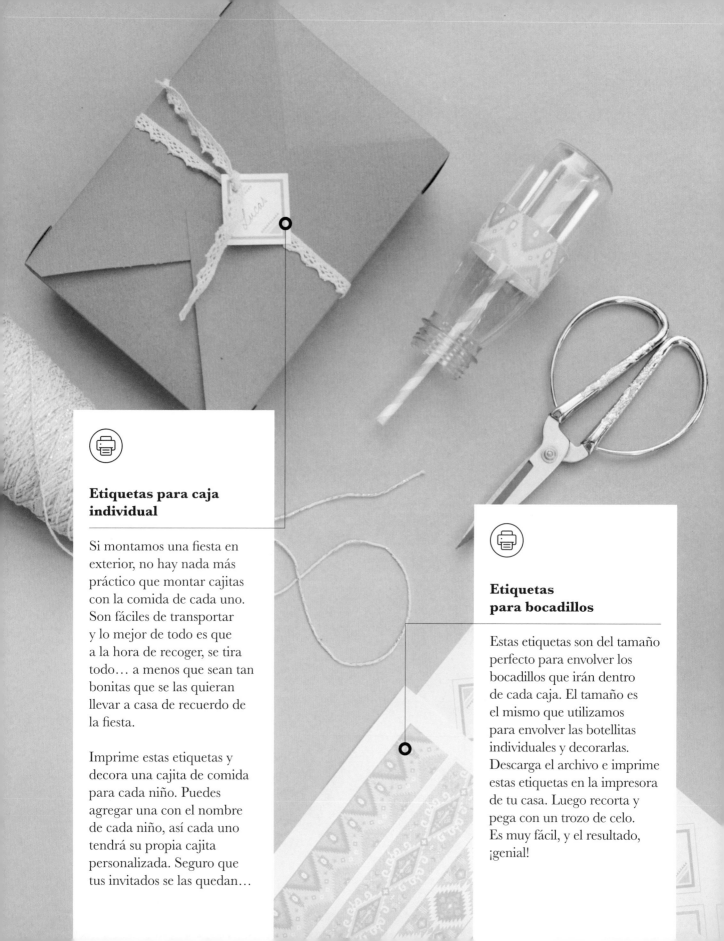

Etiquetas para caja individual

Si montamos una fiesta en exterior, no hay nada más práctico que montar cajitas con la comida de cada uno. Son fáciles de transportar y lo mejor de todo es que a la hora de recoger, se tira todo… a menos que sean tan bonitas que se las quieran llevar a casa de recuerdo de la fiesta.

Imprime estas etiquetas y decora una cajita de comida para cada niño. Puedes agregar una con el nombre de cada niño, así cada uno tendrá su propia cajita personalizada. Seguro que tus invitados se las quedan…

Etiquetas para bocadillos

Estas etiquetas son del tamaño perfecto para envolver los bocadillos que irán dentro de cada caja. El tamaño es el mismo que utilizamos para envolver las botellitas individuales y decorarlas. Descarga el archivo e imprime estas etiquetas en la impresora de tu casa. Luego recorta y pega con un trozo de celo. Es muy fácil, y el resultado, ¡genial!

Recicla las botellitas de cristal

Recicla las botellas individuales de zumos naturales o yogures ecológicos del mercado y quita las etiquetas comerciales que traen sumergiéndolas en agua hirviendo. Después de unos 15 minutos, las podrás quitar con facilidad.

Rellénalas con lo que quieras y ata alrededor de ellas una cinta de algodón crudo de unos 30 centímetros. ¡Éxito asegurado!

Si te parecen inseguras para niños, en tiendas especializadas encontrarás botellitas de plástico para uso alimentario.

Decora un pastel con flores

El pastel de yogur estaba muy bueno, pero se veía algo soso. Al tener la cobertura completamente blanca le faltaba un poco de color y alegría. Estábamos rodeados de flores silvestres… ¿qué mejor que utilizarlas para decorar un pastel casero?

Encuentra la receta de este pastel en la página 202;
PASTEL DE YOGUR Y FRAMBUESAS

Vintage

PERÍODO DEL AÑO
Todo el año

IDEAS PARA CELEBRACIÓN
Cumpleaños / bautizo / baby shower / primera comunión

PALETA DE COLOR

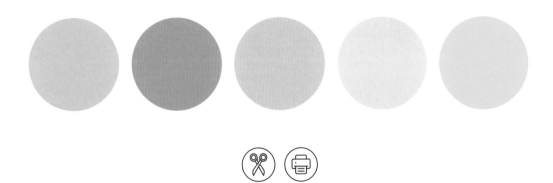

Una mesa llena de detalles hechos a mano y una combinación de texturas, colores y materiales hacen que esta celebración se vuelva muy delicada, dulce y cercana. Esta fiesta es ideal para una *baby shower*, la celebración de un bautizo o para el primer cumpleaños de un bebé. Soy fan de las fiestas como las de antes, con materiales simples y de toda la vida. Cintas de puntilla en crudo, telas con pequeñas flores silvestres tipo Liberty, pinchos de madera, un trozo de alambre, botones forrados, hilo de bordar y papeles que combinen con el resto de elementos.

Eso sí… el toque moderno lo pone el dorado. Agrégalo de forma muy sutil, conseguirás un aire *chic* y elegante.

Guirnalda de retazos de tela

¿Por qué decorar la fiesta de tu bebé con una guirnalda de papel si puedes hacer tú misma ésta con cintas y retazos de telas?

A nosotras estas guirnaldas nos encantan, las telas cortadas de forma irregular le dan un toque vintage y natural, que es lo que buscamos para esta fiesta. Las telas fluidas y de colores suaves le dan un aire elegante y dulce a la mesa.

Esta guirnalda quedará perfecta decorando el frontal de nuestra mesa o pegada en la pared trasera de la mesa bufet. Una vez acabada la fiesta, será ideal para decorar la habitación de tu bebé.

Materiales

- Retazos de tela de diferentes tipos, modelos y calidades
- Cintas de puntilla en blanco y crudo
- Cuerda o cinta de 2 metros de largo o más. Dejamos
  siempre 50 centímetros como mínimo en los extremos
- Tijeras

Hemos utilizado telas recicladas, intentando seleccionar las de tonos tierra y *nude* que inspiran esta fiesta.

Paso 1

Corta tiras de tela de 50 centímetros de largo y 10 centímetros de ancho aproximadamente.

Paso 2

Corta algunas con tijeras y otras rasgando la tela con las manos. Así conseguirás un efecto más natural. No cortes todas las hilachas de los bordes de las cintas, éstas le darán un toque vintage a tu guirnalda.

Paso 3

Coge cada tira de tela por el centro y átalas a tu cordel con un nudo. Reparte cada tira de tela dejando una distancia entre tira y cinta de unos 2 centímetros.

Si ves que los retazos de tela no te han quedado exactamente de la misma medida, no te preocupes. Es mejor que no queden exactas, así conseguirás un look más natural.

1 CARTULINA BLANCA A4 PARA IMPRIMIR

1 HOJA DE PAPEL DE SEDA

Conos para regalar

Estos conos son perfectos para dar de regalo a los invitados a tu fiesta. Puedes rellenarlos con caramelos, peladillas, jabones, galletitas o chocolates y decorarlos como quieras. Una bonita etiqueta atada con una cinta le dará un toque especial a tu fiesta.

Estos conos también podrían utilizarse para colocar pétalos de rosas, arroz o confeti gigante y regalar a los invitados en una boda.

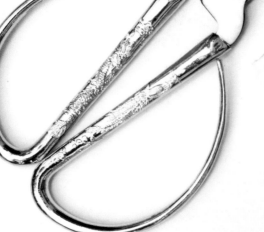

PAPELES DECORADOS PARA SCRAPBOOKING O CARTULINA TAMAÑO A4

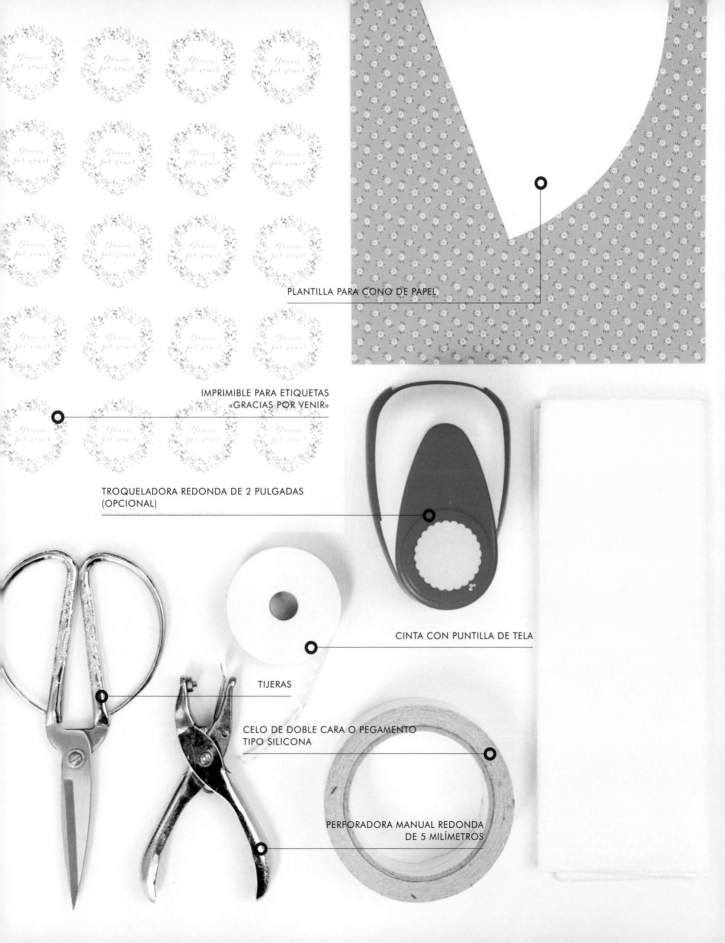

PLANTILLA PARA CONO DE PAPEL

IMPRIMIBLE PARA ETIQUETAS
«GRACIAS POR VENIR»

TROQUELADORA REDONDA DE 2 PULGADAS
(OPCIONAL)

CINTA CON PUNTILLA DE TELA

TIJERAS

CELO DE DOBLE CARA O PEGAMENTO
TIPO SILICONA

PERFORADORA MANUAL REDONDA
DE 5 MILÍMETROS

Si quieres personalizar tus conos con una etiqueta con el nombre de tu bebé, la fecha de la celebración o del nacimiento, el nombre de tus invitados o simplemente con un «Gracias por venir», en nuestra web puedes descargar las etiquetas, imprimirlas y recortarlas de forma redonda.

Puedes ayudarte con una troqueladora redonda de 2 pulgadas, así quedarán perfectamente redondas. Luego perfora un agujero para pasar la cinta de cada uno de tus conos.

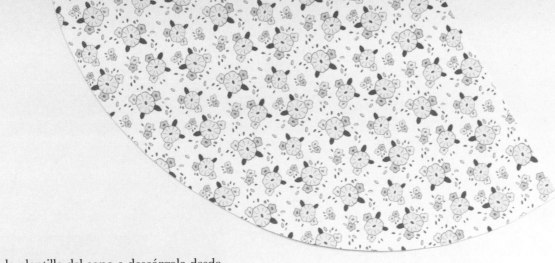

Paso 1

Fotocopia la plantilla del cono o descárgala desde nuestra web o copia el código QR.

En ese enlace encontrarás un imprimible con la plantilla para que la puedas imprimir en casa y recortarla para realizar tus conos de papel.

Paso 2

Marca los contornos de tu cono y recórtalo con las tijeras.

Paso 3

Pega con celo de doble cara un trozo de papel de seda de unos 12 centímetros de alto y del ancho de la parte superior de tu cono. No cortes el papel de seda antes de atar el cono. Deja suficiente papel para, una vez atado, ajustarlo a la medida que desees.

Paso 4

Aplica el celo de doble cara en los bordes del cono y pega ambos lados.

Paso 5

Rellena tu cono con lo que quieras y luego átalo con una cinta de puntilla de tela. Recorta el papel de seda sobrante dejando unos 7 centímetros sobre el lazo de tela.

Recuerda que la cartulina o las hojas de scrapbooking decoradas no están preparadas para uso alimentario, por lo que se empapa con las grasas de algunos alimentos que pongas dentro. Meter galletas o comida que contenga mantequilla podría no ser buena idea, a menos que los metas, a su vez, dentro de una bolsa plástica o de papel de horno.

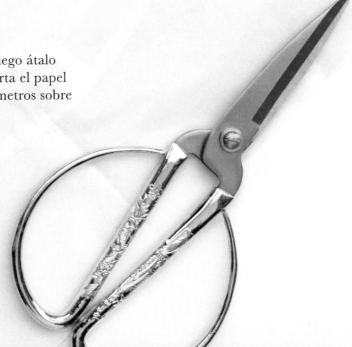

Decorado para pastel con mensaje

No hace falta que seas un supermaestro pastelero para que tu tarta quede ideal. A veces el nombre del festejado es suficiente para darle el toque personal que buscamos a un buen bizcocho casero.

Decorar los pasteles y postres con mensajes es tendencia. Sirve tanto para fiestas de cumpleaños como para bodas o mesas dulces en ocasiones especiales. Hemos diseñado algunos mensajes fáciles de realizar con esta técnica que pueden servirte para decorar tus postres.

HOJA A4 IMPRESA CON EL NOMBRE DEL FESTEJADO, LOS AÑOS QUE CUMPLE O CON EL MENSAJE QUE QUIERAS

ALAMBRE DE ALUMINIO DORADO

Paso 1

Escribe en un procesador de textos la palabra que quieras en una hoja A4 con una tipografía manuscrita. Pon mucha atención al tamaño de la palabra, pues será exactamente el tamaño final. Ten en cuenta que el ancho no debería ser de más de 15 centímetros.

Paso 2

Imprime la hoja o, si tienes buena letra, escribe tú misma a mano.

Paso 3

Coge el alambre de aluminio y «dibuja», dándole la forma de la palabra. Puedes ayudarte con un celo, pegando sobre el papel el alambre a medida que le vas dando forma.

Deja unos 10 centímetros de alambre antes de comenzar la palabra.

Gorritos decorados para niños

Te dejamos la base para que puedas decorar tus propios gorritos de fiesta. Existe un sinfín de elementos para decorarlos. Números, letras, pompones de lana o algodón, washi tapes, abanicos hechos con cartulina, cascabeles, tiras de papel crepé, flores naturales… Todo vale.

CELO DE DOBLE CARA O PEGAMENTO TIPO SILICONA FUERTE
TIJERAS

CINTA CON PUNTILLA DE TELA DE 50 CENTÍMETROS APROXIMADAMENTE

PLANTILLA O IMPRIMIBLE DESCARGABLE DE GORRITO CON FLORES VINTAGE

PAPELES DECORADOS PARA COPIAR LA PLANTILLA O CARTULINA TAMAÑO A4 PARA IMPRIMIR EL DESCARGABLE

ELEMENTOS PARA DECORAR NUESTROS GORROS DE CARTULINA LLENOS DE COLOR

Paso 1

Fotocopia la plantilla del gorrito en una cartulina, descárgala desde nuestra web o escanea el código QR. En ese enlace encontrarás la plantilla para que la puedas imprimir en casa y recortarla para elaborar tus propios gorros de fiesta.

Paso 2

Copia el contorno del gorro sobre la cartulina y recórtalo.

Haz los agujeros por donde pasará la cinta que te permita atar el gorro a la cabeza del niño.

Paso 3

Pega con celo de doble cara los bordes de tu gorro.

Paso 4

Decora tus gorros con los elementos que tengas. En este caso hemos hecho un miniabanico de papel decorado (ver página 162, Abanicos) y luego hemos pegado un número y agregado un pompón en la punta. Puedes utilizar borlas, botones forrados, pegatinas, letras y números para decorar... hasta flores frescas.

Paso 5

Pasa por cada agujero unos 25 centímetros de cinta para atar el gorrito a la cabeza de tu festejado.

Figuras y números para decorar pasteles

Hemos diseñado números y figuras fáciles de hacer con alambre para que puedas decorar tus pasteles más bonitos.

Sigue la forma de cada figura como si dibujaras sobre ella con el alambre. Utiliza un alambre de aluminio de 1 a 2 milímetros que puedes comprar en cualquier bazar o tienda de manualidades. Lo venden de muchos colores diferentes.

Es muy importante que sea de aluminio, ya que es un metal liviano y fácilmente maleable.

En este caso hemos utilizado el color dorado. Una vez tengas tus *toppers* listos, clávalos sobre tu pastel junto con una vela. Prueba a poner un grupo con varios… Quedará genial.

Reino del hielo

PERÍODO DEL AÑO

Invierno / Navidad

IDEAS PARA CELEBRACIÓN

Cumpleaños o fiesta en general

PALETA DE COLOR

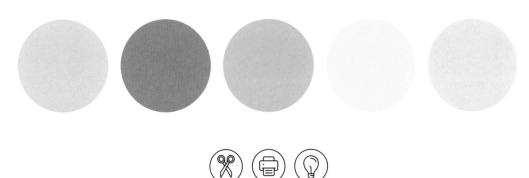

Dedico esta mesa a todas las que tenemos niñas de entre 2 y 10 años. Este último año *Frozen* nos ha invadido y parece que aún queda bastante. Ésta es, sin duda, la temática más buscada por los padres a la hora de decorar la fiesta de cumpleaños de sus hijas. Hemos diseñado un *Frozen* diferente al que estamos acostumbrados a ver en las tiendas con productos de licencias. De esta forma tenemos una fiesta con detalles *Frozen*, pero original y con un toque elegante. ¡Espero que os guste!

En esta mesa no caben los colores cálidos... ni siquiera en la comida. La sensación debe ser de frío, es una fiesta muy delicada y el copo de nieve es el protagonista. Hielo, nieve, copos en todas sus formas, tonos verde agua y azul celeste, plata, blanco, mucho brillo y purpurina. Un carrito de madera es perfecto para contener todos esos elementos, y un fondo de miniluces frías le daba un toque frío al ambiente.

Un grupo de abanicos, farolillos y pompones de papel de seda decoraban la parte inferior de nuestro carrito.

Etiquetas para botellitas

Las botellitas individuales tipo lechera se han vuelto un imprescindible de toda fiesta. De todos los productos de nuestra tienda online La Fiesta de Olivia, es, sin lugar a dudas, el más querido. No hay pedido de fiesta sin botellitas. Las hay de vidrio o de plástico tipo PET. Éstas son más seguras y más económicas que las de cristal.

Hemos diseñado una etiqueta para que decores las botellitas de agua de cada niño con un gran letrero de «Nieve derretida». Descarga, imprime, recorta y pega cada etiqueta con celo alrededor de tus botellitas. ¡Quedarán tan ideales que no sobrará ninguna!

Banderola de fiesta

Las banderolas son muy fáciles de hacer y quedan muy bien decorando la pared trasera de tu mesa de fiesta, un carrito de golosinas o como regalo de agradecimiento por venir a cada invitado.

Descarga e imprime tu banderola para tu fiesta *Frozen* sobre una hoja de cartulina tamaño A4 y luego recórtala. Puedes pegar una brocheta de madera por el lado superior y un cordel para colgarla o pegarla directamente donde quieras.

Copos de nieve

Crea copos de nieve marcando el contorno de tu plantilla sobre la superficie que quieras. En este caso, la goma EVA de color blanco y con purpurina brillante era el material perfecto para la decoración de nuestra fiesta.

GOMA EVA CON PURPURINA

Coronas de fiesta

¡No hay princesa sin corona y no hay fiesta *Frozen* sin princesa! Crea tus coronas de princesas en 5 minutos.

PLANTILLA DE COPOS DE NIEVE
LÁPIZ
TIJERAS
CELO DE DOBLE CARA
HILO DE PESCAR TRANSPARENTE
PLANTILLA DE CORONAS
LÁPIZ
GOMA EVA CON PURPURINA
TIJERAS
CELO DE DOBLE CARA
HILO ELÁSTICO

Copos de nieve

Paso 1

Fotocopia la plantilla de tu copo de nieve o descárgala desde nuestra web o copia el código QR. En ese enlace encontrarás la plantilla para que la imprimas en casa. Puedes utilizar una cartulina decorada para luego recortar directamente o utilizarlo como plantilla para recortar la goma EVA con purpurina.

Coronas de fiesta

Paso 1

Fotocopia la plantilla de tu corona o descárgala desde nuestra web o copia el código QR. En ese enlace encontrarás la plantilla para que la imprimas en casa. Utilízala como plantilla, marca el contorno y recorta tu corona de goma EVA de purpurina.

Paso 2

Une ambos lados con celo de doble cara hasta formar un cilindro.
Haz un agujero para pasar a cada lado el hilo elástico para poder sujetarlo a la cabeza de tu hija.

Esta misma plantilla puedes hacerla con goma EVA de diferentes colores y las puedes utilizar para cualquier fiesta de niños y niñas. También quedan genial decoradas con el número que cumple el festejado o con su inicial.

¡Consejo!

Puedes utilizar los copos para crear una guirnalda que decore el fondo de tu mesa. En este caso los hemos pegado de forma intercalada entre las luces de la guirnalda. Puedes conseguir un efecto similar colgándolos de un hilo transparente. Dará la sensación de que están volando sobre tu mesa.

¡Vámonos de fiesta!
ES MI CUMPLE
Let's go!

Galletas de mantequilla decoradas

Vemos por todos lados galletas decoradas con glasa real. Además de estar muy buenas, hay verdaderas obras de arte. En este caso, las galletas decoradas con forma de copo de nieve son las protagonistas de la mesa. Las decoramos utilizando glasa de dos colores diferentes y con una técnica de unión de los diferentes tonos.

Para lograr este efecto es necesario utilizar glasa con una textura fluida preparada para relleno.

Si quieres la receta, está en la página 204; GLASA REAL.

Nubes

PERÍODO DEL AÑO

Todo el año

IDEAS PARA CELEBRACIÓN

Candy bar ideal para baby shower, bautizo o primer cumpleaños

---

PALETA DE COLOR

Los tonos claros y la temática de las nubes son ideales para una mesa para celebrar a nuestros bebés. Es dulce sin ser cursi y tiene ese punto vintage y a la vez actual que tanto nos gusta.

Quisimos hacer un *candy bar* en toda regla, sin contar con el color rosa, tan utilizado en fiestas de niñas. Queríamos una mesa que nos sirviera para cualquier celebración de bebés.

Topos, nubes, gotas de agua, molinillos de viento y un globo aerostático eran el centro de nuestra mesa dulce. Celeste, marfil y melocotón, que viene para sustituir al rosa claro de toda la vida.

Hemos querido incorporar una pequeña avioneta antigua de madera en las etiquetas que nos recuerda que esto va de altos vuelos y elementos decorativos en papel de seda de la misma gama cromática que utilizamos.

Te invita a mi fiesta

Chloé cumple 5 años

Y TE INVITA A CELEBRARLO
ESTE SÁBADO 29 DE AGOSTO
A LAS 14:00 HRS EN
VERGARA #624
STGO, CENTRO

No te olvides de confirmar
Camila +56966070090

Centro de mesa globo aerostático

Este globo es el centro de atención de la mesa. Al no haber pastel, lo hemos colocado sobre una tartera, dándole una altura en el centro que nos es muy útil a la hora de montar una mesa de golosinas armónica.

Este centro se prepara de la siguiente forma:
- Ata 12 cuerdas de unos 50 centímetros en un punto central en el fondo de una pequeña cesta.
- Mete dentro de esta «red» de cuerdas un globo de unos 30 centímetros de diámetro y fíjalo al nudo de cuerdas con un pequeño trozo de celo de doble cara en la parte superior.
- Coloca lo que quieras dentro de la cesta para darle peso.

¡Consejo!

Puedes utilizar helio para que tu globo se mantenga erguido o hincharlo con aire y atar un hilo de pescador transparente al nudo superior y a su vez pegarlo al techo.

Macárons

Centro de golosinas

Monta tu propio centro de mesa de golosinas pinchando diferentes tipos de gominolas y clavándolas sobre una base de porexpán. En el mercado existen muchísimas variedades de golosinas y nubes de infinitos colores y formas. No tengas miedo de mezclarlos ni de pasarte de cantidad. Es bonito que se vea bastante abundante.

Nubes

Piñata en forma de nube

Las piñatas nacieron en México, las hay de todos los colores, formas y motivos. Hay algunas duras tridimensionales para romper con un gran palo y otras bidimensionales que están pensadas para que los niños las rompan tirando de las cuerdas. Estas últimas son muy fáciles de hacer… ¿Te atreves?

ALGODÓN BLANCO

PLANCHA DE CARTÓN PLUMA DE COLOR BLANCO
CÚTER AFILADO
PEGAMENTO DE SILICONA
CELO DE DOBLE CARA

1 BOLSA DE PAPEL BLANCA CON ASA TORCIDA

148

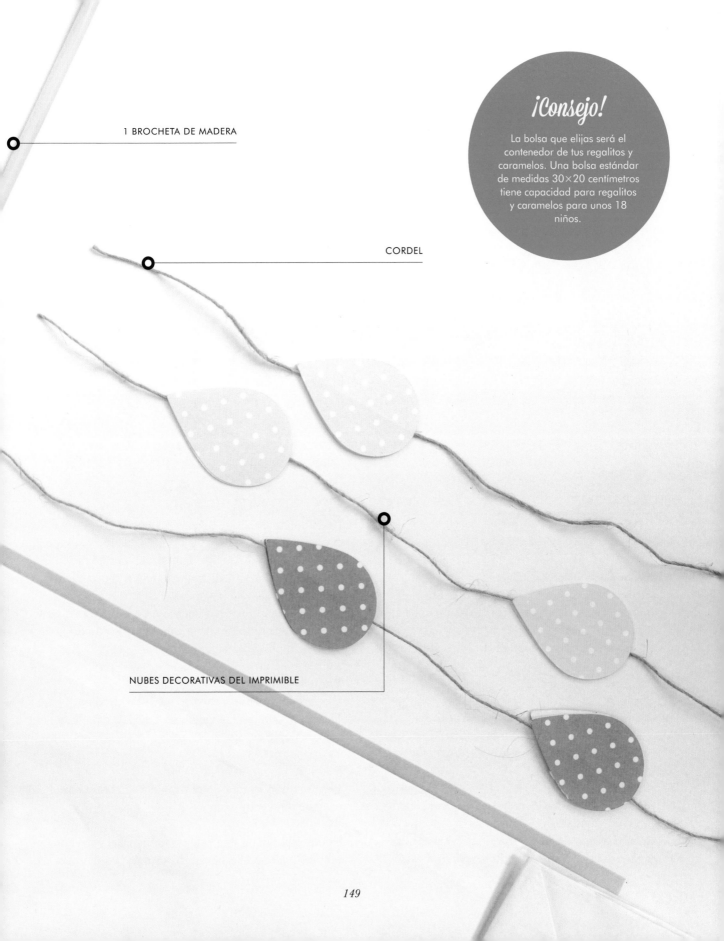

1 BROCHETA DE MADERA

CORDEL

¡Consejo!

La bolsa que elijas será el contenedor de tus regalitos y caramelos. Una bolsa estándar de medidas 30×20 centímetros tiene capacidad para regalitos y caramelos para unos 18 niños.

NUBES DECORATIVAS DEL IMPRIMIBLE

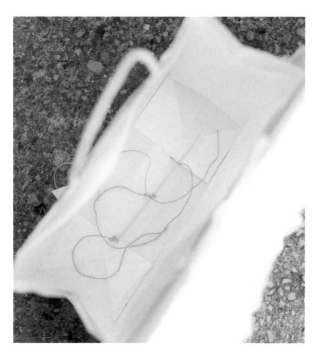 

Paso 1

Recorta los contornos de tu nube sobre el cartón pluma. En este caso la medida era de unos 40×40 centímetros. Siempre deberá cubrir toda la bolsa. El asa será perfecta para colgar tu piñata de donde quieras.

Paso 2

Decora tu nube pegando algodón con el pegamento de silicona. No tengas miedo de poner mucho, cuanto más irregular quede, mejor.

Paso 3

Mete en el interior de tu bolsa una brocheta de madera y fíjala en el fondo.
Con la ayuda de algo punzante, realiza tantos agujeros como niños quieras que tiren de ellas.

Pasa por cada uno de los agujeros un cordel de unos 80 centímetros de largo y átalo a la brocheta; así evitarás que ésta se mueva.
Esta brocheta funcionará como un tope y hará que cuando cada niño tire de su cuerda, el fondo de nuestra la piñata se rompa y los caramelos caigan.

Paso 4

Descarga, imprime y recorta tus gotas de agua. Decora las cuerdas pegando las gotas de agua con celo de doble cara.

Paso 5

Pega tu nube sobre la cara frontal de tu bolsa con celo de doble cara.

Romper la piñata es, sin lugar a dudas, el momento más esperado en las fiestas de los más pequeños…

MINIGOLOSINAS (OPCIONAL)

PROBETA DE PLÁSTICO (OPCIONAL)

PASADOR DE METAL

PERFORADORA 2 MM

Molinillos
de viento

Los molinillos de viento son ideales para regalar a
tus invitados, y además decoran mucho tu mesa.

LÁPIZ
TIJERAS
PISTOLA DE SILICONA (OPCIONAL)

CARTULINA DECORADA PARA SCRAPBOOKING

PLANTILLA DE MOLINILLOS

Paso 1

Fotocopia la plantilla del molinillo o descárgala desde nuestra web o copia el código QR. En ese enlace encontrarás la plantilla para que la puedas imprimir en casa. Marca el contorno y recorta tu molinillo.

Paso 2

Perfora el centro de tu molinillo y las puntas de cada aspa. Luego une cada aspa haciendo coincidir los agujeros en el centro.

Paso 3

Introduce el pasador metálico en el centro atravesando cada uno de los agujeros.

Paso 4

Rellena tus probetas con las minigolosinas y luego pega con un punto de silicona caliente el molinillo a la parte superior de tu probeta.

También puedes pegar tus molinillos a una pajita de papel de color.

Esta misma plantilla puedes hacerla con goma EVA de diferentes colores, y la puedes utilizar para cualquier fiesta de niños y niñas. También quedan genial decorados con el número que cumple el festejado o con su inicial.

Etiquetas de gotas de agua para botes

Estas etiquetas son un recurso que seguro que utilizarás mucho a la hora de montar esta mesa.

Puedes usarlas para señalar tus botes de golosinas, decorar tu piñata de nube o para poner el nombre de tus invitados para regalarles un detalle.

Hemos diseñado nubes y gotas de agua de diferentes colores y tamaños para que puedas crear tu propia composición atando una a otra.

Globos para
cada invitado

Estas cajitas fueron un éxito cuando las hicimos para
la fiesta de mi hija Olivia, y no quise dejar de incluirlas
en este libro. Montamos pequeñas cajitas que
contenían un regalo para cada una de las invitadas a
la fiesta. A su vez, cada una tenía un globo hinchado
con helio que flotaba con una etiqueta con el nombre
de la invitada escrito.

Fue una sorpresa para las niñas entrar a la habitación
y encontrársela toda llena de globos flotando con el
nombre de cada una de ellas.

lucas

Pompones o flores de papel de seda

Los pompones son un clásico, decoran muchísimo y hacerlos es muy fácil. No te pierdas el DIY imprescindible para decorar cualquier fiesta.

HILO PLÁSTICO INVISIBLE

TIJERAS

CUERDA

¡Consejo!

Cuando abras tus pétalos intenta siempre llegar hasta el centro, donde está atada la cuerda. De esta forma quedará mucho más redondeado.

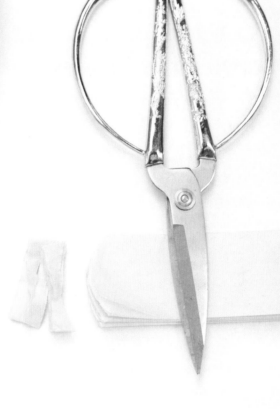

Paso 1

Pon las 10 hojas de papel de seda estiradas sobre una mesa. El ancho de las hojas será el diámetro de tu pompón. Dobla todas las hojas juntas, en forma de zigzag, realizando pliegues de unos 3 centímetros.

Dobla hacia atrás y hacia delante con este mismo ancho hasta que se acabe el papel y obtengas una tira larga, como un acordeón de papel de seda.

Paso 2

Ata una cuerda de forma firme con un nudo alrededor de la mitad de las hojas de papel de seda dobladas. Es importante no apretar mucho, este nudo es sólo para mantenerlas unidas.

Paso 3

Recorta las puntas del acordeón con forma redondeada, para que adquiera aspecto de flor.

Paso 4

Despliega sus dos extremos hasta el tope de la cuerda que atamos en el centro y anuda un hilo transparente de la medida que quieras, que luego te servirá para colgarlo del techo.

Paso 5

Ahora viene la parte más delicada. Despliega hoja por hoja, separándola de la que está debajo de ella, y verás cómo va cogiendo forma esférica. Primero abre la primera mitad y luego la otra, así te será más fácil.

Guirnalda de borlas o *tassel garland*

Las guirnaldas hechas con borlas son unas de mis favoritas. Dan mucho juego y aún no son tan conocidas como los banderines de toda la vida. Son ideales para decorar globos o para hacer una guirnalda a la medida de tu fiesta, combinando colores y texturas.

BAKER'S *TWINE* O CUERDA DELGADA

20 HOJAS DE PAPEL DE SEDA DE 50×25 CENTÍMETROS APROXIMADAMENTE

TIJERAS

¡Consejo!

Si quieres darle un toque *chic* a tu guirnalda puedes agregar alguna hoja de papel de aluminio en tono dorado o plata muy brillante. El resultado es muy divertido.

Paso 1

Coge dos hojas, coloca una sobre la otra, y corta con unas tijeras tiras de 1 centímetro más o menos, dejando una zona de unos 5 centímetros sin cortar por la parte superior.

Paso 2

Ahora enrolla por la parte que no tiene flecos hasta conseguir una borla.

Paso 3

Ata tu borla con una cuerda o con un celo para evitar que se abra.

Paso 4

Coge tu cuerda y ata una a una tus borlas, combinando los colores como quieras.

DECORACIÓN

Y AMBIENTE DE FIESTA

Abanicos

Los abanicos son perfectos si lo que quieres es decorar
la parte trasera de una mesa o un fondo de photocall.
Son muy fáciles de hacer y llenan mucho visualmente
los espacios grandes.

Los hay de papel de seda o de cartulina. Son muy
fáciles de desmontar, por lo que los puedes guardar y
utilizarlos cuantas veces quieras. Combina tamaños,
colores y texturas… Acierto seguro.

¡Consejo!

Intenta utilizar los abanicos
siempre sobre una superficie
horizontal, ya que si no tienen base
giran sin parar y no lucen como
debieran.
Puedes cortar círculos con
pegamento de silicona y pegarlos
en el centro para así evitar ver
las imperfecciones de la
unión y fijarlos
aún más.

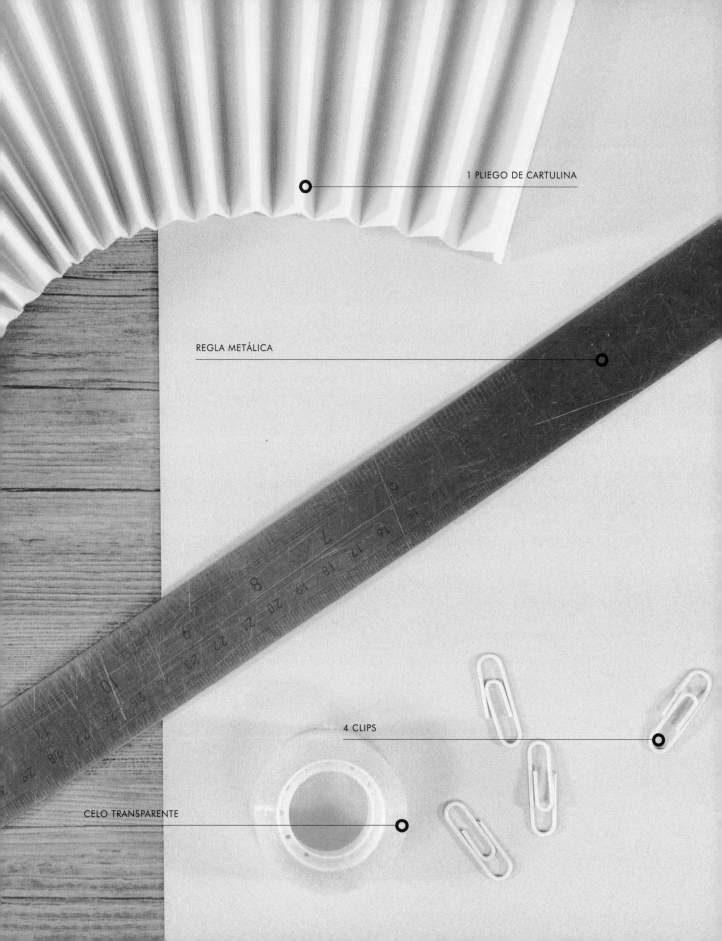

1 PLIEGO DE CARTULINA

REGLA METÁLICA

4 CLIPS

CELO TRANSPARENTE

Paso 2

Paso 3

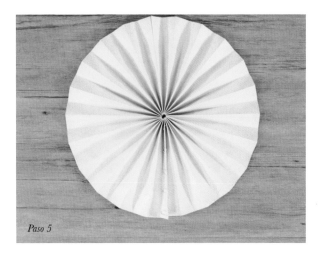

Paso 5

Paso 1

Recorta el pliego de cartulina por la mitad, creando así dos tiras. El ancho de cada una nos marcará el diámetro de nuestro abanico. Lo ideal es combinar al menos dos tamaños.

Paso 2

Marca al inicio de la tira de cartulina 1,5 centímetros para el dobladillo de referencia. Ahora dobla tu cartulina como si fuera un acordeón en forma de zigzag. Si la cartulina es muy gruesa, ayúdate de una regla metálica para presionar con más fuerza. Intenta que los dobladillos queden lo más parecidos posible.

Paso 3

Una vez tengas ambas tiras dobladas como la falda de una bailarina, pégalas formando una sola tira larga doblada como un acordeón.

Paso 4

Ahora pega la punta de tu acordeón con celo en forma de U, generando así una bisagra.

Paso 5

Coloca tu acordeón plano sobre una mesa presionando con una mano y ábrelo hasta formar un círculo perfecto. Une y fija las dos caras laterales con los clips.

Guirnalda con servilletas de papel

La versión más *handmade* de una guirnalda de banderines hecha con servilletas. Combina colores y modelos, más fácil imposible.

CELO DE DOBLE CARA

CORDEL

SERVILLETAS DE PAPEL DE DIFERENTES MODELOS
TAMAÑO CÓCTEL, DE 25×25 CENTÍMETROS

TIJERAS

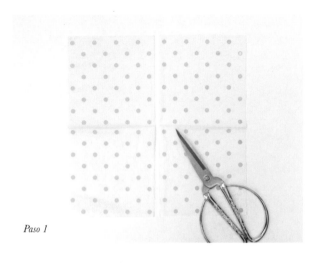

Paso 1

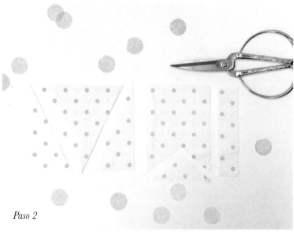

Paso 2

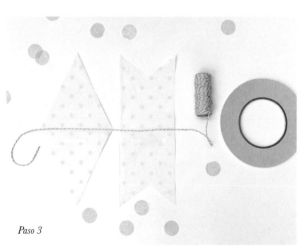

Paso 3

Paso 1

Abre tu servilleta sobre la mesa y recórtala por la mitad. Deja dos trozos con la línea de doblado por la mitad.

Paso 2

Ahora dobla tu mitad y dale forma al banderín recortándolo con las tijeras. Para crear un banderín triangular, corta dos partes desde el centro inferior hacia la esquina superior de cada lado. Para crear un banderín rectangular, recorta un cuarto de tu cuadrado por un lateral y luego un triángulo de la parte inferior.

Paso 3

Abre tus banderines y pasa la cuerda por el medio. Luego pega ambas caras de cada una de tus servilletas para fijarlas y evitar que se caigan con el viento.

Globos rellenos de confeti

Llevamos algún tiempo viéndolos en Pinterest y en distintos blogs de fiestas, pero nos seguís preguntando cómo es posible rellenar los globos transparentes de confeti.

- 1 GLOBO DE LÁTEX 100 % ORGÁNICO TRANSPARENTE
- 1 BOTELLA DE PLÁSTICO DE CUALQUIER MEDIDA
- CÚTER AFILADO
- CONFETI DE PAPEL DE SEDA DE NO MÁS DE 2 CENTÍMETROS DE DIÁMETRO

Paso 1

Corta la botella por la mitad y coloca el globo de látex de tal forma que la boca de la botella quede dentro de la boca del globo.

Paso 2

Mete el confeti de papel de seda dentro de tu globo utilizando la botella como embudo.

Paso 3

Infla tu globo con aire si quieres que tu confeti se quede pegado en las paredes por energía estática.

¡Consejo!

Si inflas tu globo con helio el confeti no se pegará por las paredes. El efecto es igualmente bonito, ya que se moverá dentro. Si quieres que se adhiera únicamente lo podrás conseguir utilizando aire.

Photocall

Nos encanta la idea de montar un photocall en cualquier fiesta; es divertido y muy fácil de hacer. Además de ser una actividad superamena para los invitados, las fotografías que se obtienen son un fantástico recuerdo de la fiesta para todos.

Montar tu propio photocall sin tener que invertir demasiado es muy fácil, sólo necesitaremos lo siguiente:

UN FONDO COLORIDO

Un fondo muy colorido de un tamaño ideal de 2×2 metros, para que un pequeño grupo de personas se puedan sacar una foto sin quedar fuera de él. Necesitamos una superficie vertical de soporte, como una pared existente. En caso de querer montarlo en exterior y no disponer de ninguna pared, deberás crear tu superficie con dos soportes y una barra atravesada.

Hay muchas ideas para hacer un fondo de photocall original y vistoso para tu fiesta. En este listado encontrarás los más fáciles y económicos para que puedas hacerlo tú misma:

1. Utilizando muchos globos de colores hinchados con aire y pegados a una pared.
2. Con abanicos de papel de diferentes tamaños y colores pegados a una pared.
3. Cortina de cintas de papel crepé colgadas. Puedes rematarlo en la parte superior con pompones.

3. Pompones de diferentes tamaños de los colores de tu fiesta pegados en la pared uno al lado del otro.
4. Una tela estampada.
5. Platos de cartón pegados sobre la pared de los colores más vistosos.
6. Muchas flores naturales o artificiales pegadas con pegatinas.
7. Con bolas nido de abeja semiabiertas y pegadas.
8. Con tiras de flecos de papel de seda colocados de forma alargada uno sobre otro pegados en la pared.
9. Un marco de cuadro XL (presupuesto elevado).
10. Letras gigantes e iluminadas XL (presupuesto elevado).

Saca la cristalería y la vajilla que quieras usar ese día y límpiala. No te olvides de tener bandejas y fuentes para servir. Lava la mantelería o llévala a la tintorería si es necesario.

COMPLEMENTOS DE DISFRAZ

Una buena idea es colocar un baúl, caja o cesto lleno de complementos fáciles de usar como pelucas, gafas y sombreros de fiesta.

En el mercado encontrarás complementos de photocall divertidos que están hechos con unas imágenes en cartulina y pegados a un palo de madera. Dan mucho juego.

UNA PIZARRA

Deja una pequeña pizarra y una tiza para que los invitados escriban un mensaje y se tomen fotografías.

UN *HASHTAG*

Si te van las redes sociales es el momento perfecto para escribir un *hashtag* de la fiesta y que tus invitados al hacerse la fotografía la suban a Instagram o a la red social que prefieras con su *hashtag*. Por ejemplo, #OLIVIACUMPLE18. De esta forma, cuando tú o tus invitados busquéis #OLIVIACUMPLE18, aparecerán todas las fotografías subidas con ese *hashtag*. ¡Es una forma ideal para recopilar todas las fotos de tu fiesta sin perderte nada!

UNA CÁMARA Y UN TRÍPODE

Si además de sacar fotos con un móvil quieres tenerlas en una cámara para poder luego editarlas, la manera más fácil es colocar un trípode delante de tu photocall con una cámara fotográfica fija. De esta forma todas las fotografías obtenidas estarán encuadradas de la misma manera.

Si quieres tener un recuerdo tangible y rápido de tu photocall, utiliza una cámara fotográfica instantánea. Podrás capturar las imágenes y regalarle una a cada invitado.

Mireia & Jorge

5 setembre 15

Photocall

#bodamireiaijorge

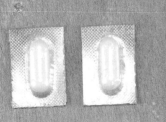

Kit de supervivencia

Gracias por ser parte de este día tan especial para nosotros.
Aquí tienes algunas cosas que te ayudarán a sobrelevar mejor el día de mañana.

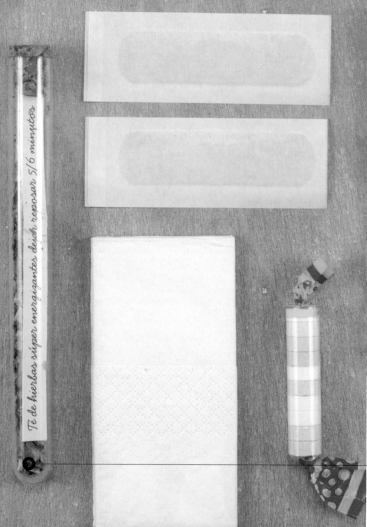

IDEAS PARA METER DENTRO DE TU KIT DE SUPERVIVENCIA
- TIRITAS PARA LOS PIES DOLORIDOS
- IBUPROFENO O ASPIRINA PARA EL DOLOR DE CABEZA
- CHICLES DE MENTA FRESCA
- UNA PIRULETA RIQUÍSIMA
- CLÍNEX
- UN BILLETE DE METRO O AUTOBÚS DE VUELTA A CASA
- UNA BOLSITA DE TÉ DE HIERBAS O UNA PROBETA CON LA
INDICACIÓN DENTRO
- CUALQUIER OTRO DETALLE DIVERTIDO QUE SE TE OCURRA
QUE LES PUEDA HACER ILUSIÓN

Indicaciones para té

Imprime tu archivo en una
hoja blanca tamaño A4 y
recorta las indicaciones para
la correcta preparación de
un té de hierbas. Mete la
tira impresa dentro de una
probeta junto con la planta
de té y regálaselo a tus
invitados. Éste es un detalle
que puedes incluir dentro
de tu kit de supervivencia
o regalar por separado.
Puede quedar muy bonito
atado junto a un tazón y una
cuchara de madera.

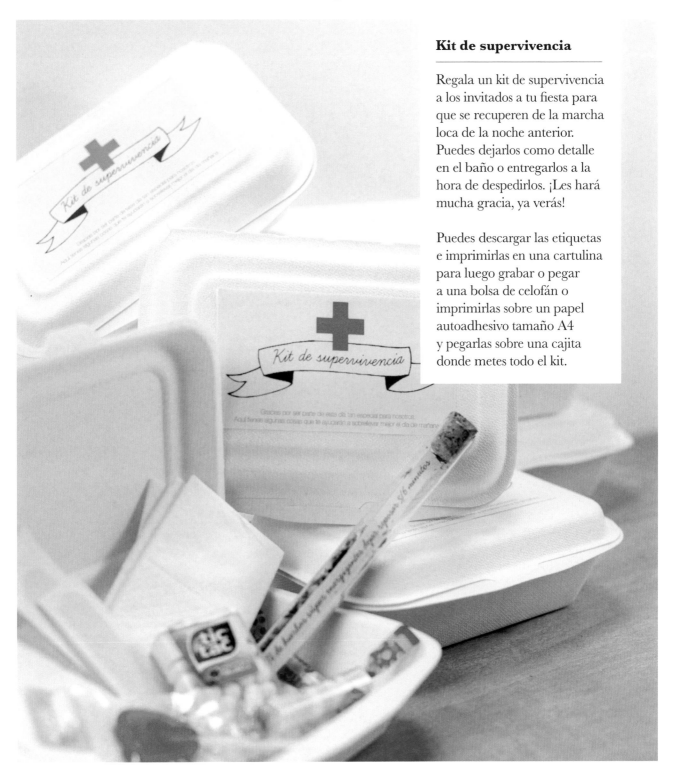

Kit de supervivencia

Regala un kit de supervivencia a los invitados a tu fiesta para que se recuperen de la marcha loca de la noche anterior. Puedes dejarlos como detalle en el baño o entregarlos a la hora de despedirlos. ¡Les hará mucha gracia, ya verás!

Puedes descargar las etiquetas e imprimirlas en una cartulina para luego grabar o pegar a una bolsa de celofán o imprimirlas sobre un papel autoadhesivo tamaño A4 y pegarlas sobre una cajita donde metes todo el kit.

Pompas de jabón para novios

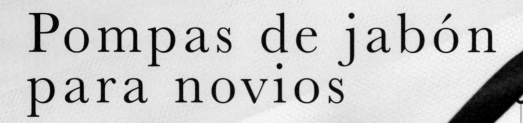

CINTA DE RASO NEGRA

Una alternativa mucho más limpia y bonita al lanzamiento del clásico arroz de toda la vida a la salida de la ceremonia de boda es dar un tubo con jabón a cada uno (niños incluidos) para que soplen y hagan entre todos muchas burbujas. Se creará una atmósfera genial y los niños que asistan se lo pasarán en grande.

TUBOS DE BURBUJAS PARA BODAS QUE PUEDES COMPRAR EN TIENDAS ESPECIALIZADAS EN PRODUCTOS PARA BODAS Y EN NUESTRA TIENDA ONLINE

PISTOLA DE SILICONA CALIENTE

UN TROZO DE TUL BLANCO

Paso 1

Corta un cuadrado de 5×5 centímetros de tela de tul.
Coge el tul por el centro y pega un punto de silicona.
¡Ya tenemos el velo de la novia!

Paso 2

Corta un trozo de cinta de 5 centímetros y dóblalo
hasta crear un pequeño lazo.
Fíjalo con un punto de silicona caliente y espera. Luego
pégalo a tu tubo de burbujas con otro punto de silicona.
¡Ya tenemos la pajarita de nuestro novio!

Colócalos en una caja o en una cesta y repártelos a
tus invitados. El momento ideal es a la salida de la
ceremonia o en la llegada al banquete.

Varitas vintage para boda

Crea unas decorativas varitas para que los invitados agiten en la boda a la hora de la salida de la ceremonia o de la llegada de los novios al banquete.

Sólo necesitas cintas y retazos de telas de diferentes modelos y colores de 50 centímetros de largo para atar a unos palitos de madera, cascabeles para que hagan ruido al agitarlos y una pistola de silicona para pegarlos. Repártelos a tus invitados el día de la boda, luego se los llevarán de recuerdo.

Bolsitas de arroz para una boda

Estas etiquetas son un recurso que seguro que utilizarás mucho a la hora de montar esta mesa.

Puedes utilizarlas para señalar tus botes de golosinas, decorar tu piñata de nube o poner el nombre de tus invitados para regalarles un detalle.

Hemos diseñado nubes y gotas de agua de diferentes colores y tamaños para que puedas crear tu propia composición atando una a otra.

¡Vamos
de fiesta!

¡Vamos
de fiesta!

¡Vamos
de fiesta!

¡Vamos
de fiesta!

¡Vamos
de fiesta!

¡Vamos
de boda!

¡Vamos
de boda!

¡Vamos
de boda!

¡Vamos
de fiesta!

Kit barbacoa

A los fanáticos de las barbacoas en casa con amigos como yo, este imprimible os va encantar. Descarga el archivo e imprime las letras «Kit barbacoa» sobre unas bolsitas kraft.

Utilízalas para colocar dentro una servilleta, una pajita de papel y los cubiertos para cada invitado. De esta forma te será más fácil organizarlo todo si sois muchos.

Cada invitado coge su kit, su plato o su cajita de hamburguesa y va a por su comida.

En casa es muy habitual que nos juntemos varias familias con niños alrededor de la barbacoa y a los peques no hay cosa que les guste más que coger su caja y comer sentados en el suelo con cojines a la orilla de un palé de obra reciclado. ¡Es la única manera que hemos encontrado de recibirlos a todos!

PLIEGO DE PAPEL CELOFÁN TRANSPARENTE

CUERDA O CINTA PARA ATAR CADA EXTREMO
DE TU CARAMELO

GOLOSINAS O REGALITOS PARA METER
DENTRO DE CADA BOLITA

Caramelos gigantes

Estos caramelos son muy decorativos para colocar
sobre tu mesa dulce y luego regalar a tus invitados.

TIJERAS

CONTENEDORES PARA COMIDA CON
FORMA DE BOLA QUE PUEDES COMPRAR EN
TIENDAS ESPECIALIZADAS PARA CATERING O
EN NUESTRA TIENDA ONLINE

Paso 1

Rellena tu bolita con lo que quieras y luego
envuélvela con un trozo de papel celofán de una
medida suficiente para cubrir toda la bola de forma
holgada. Deberían sobrar unos 15 centímetros a
cada lado para luego cortar el sobrante.

Paso 2

Enrolla el papel por ambos lados y luego ata
una cuerda. ¡Ya está listo tu caramelo XL!

Idea divertida

Puedes hacer uno mucho más grande y vistoso
para decorar tu fiesta, utilizando un globo de
color para el interior y forrándolo con un pliego
de papel celofán. Puedes clavarlos con un palo
en el césped simulando una piruleta o colgando
del techo haciendo de caramelos extragrandes.

Mesas
dulces

Cómo montar un *candy bar* y no morir en el intento

Las mesas de golosinas o *candy bar*s están muy de moda. No hay evento, fiesta divertida, boda, bautizo o primera comunión sin mesa de golosinas. A simple vista, parece muy fácil de montar, pero lograr que quede perfecta no siempre es tan sencillo.

Os dejo nuestras claves infalibles para que el resultado sea espectacular.

ELIGE LA MESA ADECUADA

Es muy importante que la mesa no sea muy grande. Éste es el principal error que cometemos. Si la superficie es amplia, será muy difícil llenarla, y no hay nada peor que una mesa de golosinas vacía.

Soy partidaria siempre de elegir las mesas pequeñas. Creo que la medida ideal para un *candy bar* de hasta unas 30 o 40 personas es de 80×120-160 centímetros aproximadamente.

Puedes utilizar, un bonito escritorio antiguo con estilo, una cómoda con un toque vintage o, si tienes un carro, sería ideal. Lo importante es que no sea una gran mesa de comedor para 12 personas o un tablero de tenis de mesa.

Si no tenemos algún mueble bonito que valga la pena mostrar, lo mejor es coger un tablero básico con unos caballetes y colocar un gran mantel, que siempre debe llegar hasta el suelo. Es lo más fácil y queda siempre impecable.

CREA ALTURAS

Para montar cualquier mesa de golosinas, el secreto es crear alturas. Te ayudará a que se vea más llena y armónica. Puedes generar estas distintas alturas con cajas de madera, recipientes forrados, bases de pasteles, un gran jarrón de golosinas, flores o cualquier elemento que genere la altura que necesitamos. Siempre coloca lo más alto atrás y en el medio de tu mesa algo que quieras resaltar.

El pastel, un dispensador de bebidas o un soporte para cupcakes son buenas opciones para poner en el centro de la mesa.

ELIGE UNA GAMA CROMÁTICA O UN TEMA

Escoge la combinación de colores, materiales o la temática que vas a utilizar e intenta ser fiel a ella. Lo mismo sucede con los colores de las golosinas… Intenta ser coherente en todo, pero tampoco te pases, ¡puede quedar algo aburrido!

CALCULA LAS CANTIDADES Y ELIGE BIEN LAS GOLOSINAS

Para una mesa de golosinas para unas 24 o 30 personas lo ideal es colocar de 4 a 5 kilos de

chucherías variadas. Combina formas y sabores, cuanta más variedad, mucho mejor.

Presta especial atención a las golosinas que compres. Intenta que sean fabricadas en Europa y que no contengan gluten ni grasas trans. Nunca está de más pensar en posibles invitados celiacos y si ofrecemos golosinas, intentemos que sean de la mejor calidad posible, todos lo agradecerán.

LA LISTA DE LA COMPRA. COMPLEMENTOS PARA UNA MESA DE GOLOSINAS PERFECTA PARA 30 PERSONAS

Ésta es una lista tipo que utilizamos para nuestras mesas de golosinas. Esperamos que te sirva de guía.

Golosinas

De 4 a 5 kilos de golosinas de diferentes formas y sabores.

Elementos de base decorativos

- Cartel indicativo de *candy bar* (opcional).
- Algo decorativo que os guste: puede ser una foto, un jarrón con flores, una letra, velas XL de letras, un cartel con un texto…
- Guirnalda decorativa «*candy bar*» o alguna guirnalda de banderines que combine con tu tema. Puedes colocarlo en la pared trasera o a los pies de tu mesa.
- Grupo de pompones, bolas de nido de abeja o abanicos de los colores que prefieras.
- Guirnalda de luces. Dará un toque muy dulce. Colócala entre los botes sobre la mesa (opcional).
- 2 botes de cristal XL.

- 2 botes de cristal L.
- 2 botes de cristal M.
- 1 pastelero de 2 o 3 pisos para golosinas.
- Mantel en caso de necesitar esconder la mesa.

Complementos decorativos e indicadores de mesa

- 30 cajitas o bolsas de papel para golosinas.
- 2 metros de cinta o cordel bicolor para decorar los botes de cristal.
- 2 palas o pinzas de plástico para que tus invitados se sirvan las golosinas.
- Etiquetas tipo tags para indicar el contenido de los botes.
- Marcadores de mesa para escribir el tipo de golosina.

Algunas opciones más saludables

Si quieres darle tregua a tanto azúcar o te apetece algo más sano, hay muchas opciones a la hora de montar estas mesas tipo bufet que cada día ganan más seguidores. Os dejo algunas de las temáticas que más nos pedís montar en La Fiesta de Olivia.

BARRA DE PALOMITAS

Combina diferentes tipos de palomitas y *toppings*. Puedes hacerlas en casa y agregarles diferentes sabores, especias, colores y olores. En el mercado cada vez vemos más palomitas gourmet y fabricadas con ingredientes artesanales de primera calidad.

BARRA DE CHOCOLATE CALIENTE

Ideal para los meses de frío. Sirve chocolate caliente con diferentes *toppings* para que cada invitado agregue a su taza. Mininubes de azúcar, churros, nata montada, cacao en polvo… hay mil ideas que puedes poner en práctica.

¡Éxito asegurado!

BARRA DE HELADOS

Una idea genial para las fiestas al aire libre. Pon helados de diferentes sabores, galletas, barquillos y cucuruchos para que cada invitado se monte su propio postre. Golosinas, frutos secos, coco rallado, nata, minibolitas de caramelo y chocolate son los *toppings* estrella de esta barra.

Muy importante: la forma de colocar el helado para que quede bonito en esta mesa sin que se derrita tan rápido es colocar un barreño de mayor tamaño con hielo debajo y los botes de helado encima.

BARRA DE YOGUR

Cada vez hay más gente que nos pide esta mesa. Yogures artesanales de diferentes sabores y tipos, presentados en botes de cristal individuales y líquidos en dispensadores para que cada invitado se sirva su propio yogur. Puedes agregar trozos de fruta fresca, cereales, miel y galletas de diferentes tipos. Esta opción es ideal para una merienda de niños.

MESA DE LIMONADAS

No hay nada mejor en una boda o en una fiesta en pleno verano que recibir a tus invitados con una limonada fresquita. La clave de estos rincones: mucho hielo y limonadas caseras. Los productos estrella de una barra de limonadas son los barreños grandes contenedores de botellines individuales, las pajitas vintage de colores y los dispensadores de bebidas elevados para que cada invitado se sirva la suya. Las cajas de frutas de madera que puedes pedir que te regalen en una frutería serán tu mejor aliado a la hora de elevar los dispensadores.

RECETAS

BÁSICAS

Pastel de yogur y frambuesas

Ingredientes

1 paquete de galletas Digestive®

75 g de mantequilla

3 hojas de gelatina neutra

Agua fría para cubrir las hojas de gelatina

5 yogures (de 120 g) de fresa

Ingredientes para decorar

500 ml de nata para montar (más del 35 % de materia grasa)

2 fresones

50 g de frambuesas acompañadas con su propia flor

Preparación

1. Derrite la mantequilla hasta que quede líquida.
2. Tritura las galletas hasta que estén bien molidas.
3. Mezcla las galletas con la mantequilla hasta obtener una masa compacta.
4. Forra un molde redondo desmontable de 18 centímetros con papel de horno vegetal.
5. Coloca la mezcla de las galletas y la mantequilla en la base del molde y presiona con tus dedos para que quede lo más compacta posible.
6. Déjalo reposar en la nevera unos 30 minutos.
7. Pon las hojas de gelatina a remojo con agua fría hasta que se reblandezcan. Una vez las tienes blanditas, ponlas en un cazo a fuego lento hasta que se disuelvan por completo.
8. En un bol, vacía el yogur, incorpora la gelatina y bate hasta que quede todo bien mezclado.
9. Saca la base de la tarta de la nevera y ponle, por encima, la mezcla del yogur con la gelatina; alisa bien la superficie e introduce la tarta en la nevera unas 3 o 4 horas.
10. Mientras tenemos la tarta enfriándose en la nevera, podemos montar la nata. Pon en un bol los 500 mililitros de nata y con unas varillas bien frías móntala. Resérvala en la nevera.

Decoración

Una vez tenemos la tarta cuajada, le añadimos, por encima, la nata montada. Cuando el pastel esté totalmente recubierto de nata, coloca en la parte central una fresa y un grupo de frambuesas. Un par de flores de color amarillo le dará color a tu pastel y un toque natural muy chic.

Glasa real

Ingredientes

70 g de claras de huevo pasteurizadas

400 g de azúcar glas

½ cucharada de postre de zumo de limón

Colorante en gel concentrado

Para decorar galletas necesitamos dos tipos de texturas de glasa:

- La glasa de perfilado, que tiene una textura densa y que utilizamos para dibujar el perfil de las galletas y los detalles. Ésta la usaremos con manga pastelera con boquilla del número 2 o 3.
- La glasa de relleno, que tiene una textura más fluida y que utilizamos para rellenar las zonas amplias de nuestras galletas. Ésta la utilizaremos con manga pastelera sin boquilla o con biberones de plástico.

Para un resultado perfecto, lo ideal es decorar nuestra galleta trabajando con las dos texturas: delimitando los contornos de nuestra galleta con la glasa de perfilado y «pintando» el centro con la glasa de relleno.

Ambos tipos se hacen con esta receta, pero para obtener la de relleno lo único que haremos será añadir agua poco a poco a la glasa más densa para lograr la consistencia más fluida que necesitamos.

Preparación

1. Pon las claras en un recipiente bien limpio y seco. Móntalas con un batidor de varillas eléctrico hasta que las puntas se pongan blandas.
2. Ahora añade el zumo de limón y agrega poco a poco el azúcar glas, sin parar de batir, hasta conseguir una consistencia muy firme que no se despegue de las varillas.
3. La glasa que hemos conseguido es la de perfilado. Es una glasa gruesa que nos servirá para decorar los contornos y detalles de nuestra galleta.
4. Ahora necesitamos darle color utilizando colorantes y convertir cierta cantidad en glasa de relleno, más fluida.
5. Pon la glasa en distintos recipientes, tantos como colorantes quieras usar.
6. Con un palillo, coge un poco de colorante en gel concentrado y ponlo en uno de los boles de glasa. Ve añadiendo colorante muy poco a poco hasta conseguir el color e intensidad que quieras.
7. Ahora vamos a rellenar la manga pastelera con nuestra glasa. Recuerda no cogerla toda, ya que debes dejar algo para convertirla en glasa de relleno. Antes de utilizarla, lo ideal es dejar reposar la glasa en la nevera al menos 8 horas, evitando el contacto con el aire.
8. Después de decorar tus galletas, debes dejarlas secar al aire al menos 4 horas antes de envolverlas.

Galletas de mantequilla para decorar

Ésta es la masa base de las galletas de mantequilla ideales para decorar.

Ingredientes

300 g de mantequilla a temperatura ambiente

2 huevos grandes a temperatura ambiente

350 g de harina de repostería

250 g de azúcar blanquilla

1 pizca de canela en polvo (opcional)

1 pizca de sal

Preparación

1. Se pueden hacer las galletas en un bol y batir los ingredientes con las varillas o a mano, pero siempre es mejor y más rápido con varillas automáticas.
2. Pon la mantequilla a temperatura ambiente en un bol y empieza a batirla junto con el azúcar, hasta formar una masa cremosa.
3. Añade uno a uno los huevos, batiendo con las varillas, hasta conseguir una masa homogénea.
4. Tamiza la harina para quitarle las impurezas y añádela a la masa anterior mezclando con las varillas. Dale un toque a la masa con la canela y la sal.
5. Saca la masa del bol, aunque sea un poco pegajosa, y amasa con las manos con la ayuda de un poco de harina, para que no se pegue tanto.
6. Ve amasando hasta que quede una bola (también se pueden hacer dos bolas para un mejor manejo). Envuelve la bola de masa en papel film y métela en la nevera al menos 30 minutos.
7. Precalienta el horno a 180° con calor arriba y abajo.
8. Saca la masa de la nevera y estírala con un rodillo hasta que quede del grosor que quieras que tengan las galletas (es importante no dejarlas demasiado gruesas ni demasiado delgadas; de unos 5 o 7 milímetros quedan perfectas). Con unos cortapastas de la forma que más te guste, ve cortando las galletas y ponlas en la bandeja del horno, sobre papel vegetal.
9. Hornea las galletas hasta que empiecen a quedar doradas (unos 15 o 20 minutos, depende de cada horno).
10. Deja enfriar antes de decorar.

Bizcocho para decorar infalible

Este bizcocho siempre resulta perfecto y es ideal para decorarlo como quieras.

Ingredientes

200 g de mantequilla a temperatura ambiente

320 g de azúcar blanquilla

6 huevos

280 g de harina con levadura

4 cucharadas de leche
1 cucharadita de esencia de vainilla

Azúcar glas para decorar

Preparación

1. Precalienta el horno a 180°.
2. Prepara un molde de 22 centímetros de diámetro, úntalo con mantequilla y un poco de harina.
3. Bate con las varillas eléctricas la mantequilla con el azúcar hasta que la masa blanquee; añade los huevos de uno en uno sin dejar de batir.
4. Tamiza la harina sobre la masa y remueve con una cuchara. Sin dejar de remover, incorpora la leche y la vainilla.
5. Vierte la masa en el molde, alisa la superficie y hornea durante 1 hora más o menos (depende del horno). Si cuando pinches el bizcocho con un palillo éste sale limpio, ya está cocido.
6. Deja enfriar el bizcocho unos minutos y luego desmóldalo y déjalo en una rejilla hasta que se enfríe del todo.
7. El bizcocho ya está preparado para decorarlo como más te guste o simplemente con azúcar glas.

Decorar un bizcocho con golosinas

Un simple bizcocho para decorar se puede transformar en un genial pastel con un poco de imaginación y algunas golosinas bien elegidas. Este bizcocho lo decoré para una merienda de niños en Pascua, quedó muy original y resultó ser todo un éxito.

Os cuento cómo lo hice, ¡es muy fácil de preparar!

Paso 1

Horneé un bizcocho para decorar y lo dividí en dos partes iguales.

Paso 2

Una vez dividido, unté entre capa y capa una capa gruesa de crema para untar de chocolate. Este chocolate hizo de «pegamento» a una base de nubes de azúcar.

Paso 3

Decoré la parte superior del pastel con pequeños huevos de chocolate. Si no es época de huevos de chocolate, elige alguna golosina masticable redonda de colores.

Paso 4

El toque final se lo daba una pequeña decoración hecha con una brocheta de madera con una cinta de tela atada, además de un collar de caramelos bordeando el stand de cerámica para pastel.

Ingredientes

4 zanahorias (picadas muy finas)

275 g de harina

1 sobre de levadura en polvo

1 cucharadita de café de bicarbonato

1 cucharadita de postre de canela en polvo

225 g de azúcar blanquilla

200 g de azúcar moreno

250 g de mantequilla a temperatura ambiente

3 huevos

2 cucharaditas de postre de esencia de vainilla

4 cucharaditas de postre de nata líquida (o leche)

Ingredientes cobertura

300 g de queso crema

120 g de azúcar glas

60 g de mantequilla a temperatura ambiente

Carrot cake espectacular

Preparación

1. Precalienta el horno a 180º.
2. Engrasa un molde con mantequilla y un poco de harina. También se puede cubrir con papel de horno.
3. En un bol, mezcla los ingredientes secos (la harina, la levadura, el bicarbonato y la canela). Reserva.
4. Bate la mantequilla, añade poco a poco el azúcar moreno y la blanquilla, bate unos minutos hasta obtener una consistencia cremosa.
5. Incorpora los huevos uno a uno, batiendo entre cada uno. Añade el extracto de vainilla y sigue batiendo.
6. Añade poco a poco la mezcla de los secos.
7. Incorpora con una espátula la zanahoria y la nata líquida.
8. Vierte la masa en el molde y hornea a 180º unos 60 minutos (el tiempo de la cocción varía mucho según cada horno, así que lo mejor es ir controlando cada poco).
9. Saca del horno y deja enfriar en el molde. Desmolda y reserva.
10. Mezcla el queso crema, el azúcar glas y la mantequilla.
11. Reparte por encima del pastel la cobertura.
12. Se puede decorar el *carrot cake* con nueces.

Una limonada casera

Ingredientes

8-10 limones amarillos grandes

400 g de azúcar

800 ml de agua

Hojas de hierbabuena, menta o albahaca

Mucho hielo

Lima o limones para decorar

Preparación

1. Ralla con la ayuda de un rallador fino la cáscara de 4 limones previamente lavados y reserva en un plato aparte.
2. Luego exprime 6 limones: los 4 rallados y 2 más.
3. Calienta a fuego lento los 800 ml de agua con los 400 g de azúcar hasta que se diluya muy bien. Una vez disuelto, lo dejamos enfriar.
4. Añade la ralladura de limón a la mezcla que hemos reservado, remueve y deja macerar durante 5 minutos.
5. Corta 2 limones y las limas que quieras agregar en rodajas para colocar dentro de tu jarra o dispensador de bebidas.
6. Ahora añade el hielo, las rodajas de limón y lima, e incorpora unas hojas de menta o albahaca a tu mezcla.
7. Añade el jugo de limón que has exprimido anteriormente, remueve y listo.

¡Una limonada sana y fresca para tus fiestas de verano!

Escanea con tu *smartphone* el código QR de nuestro libro o entra en nuestra web lafiestadeolivia.com/pages/libro. Sigue las indicaciones y accede al área privada que hemos creado exclusivamente para ti; allí podrás descargar libremente todos los imprimibles, invitaciones y patrones que hemos utilizado en este libro.

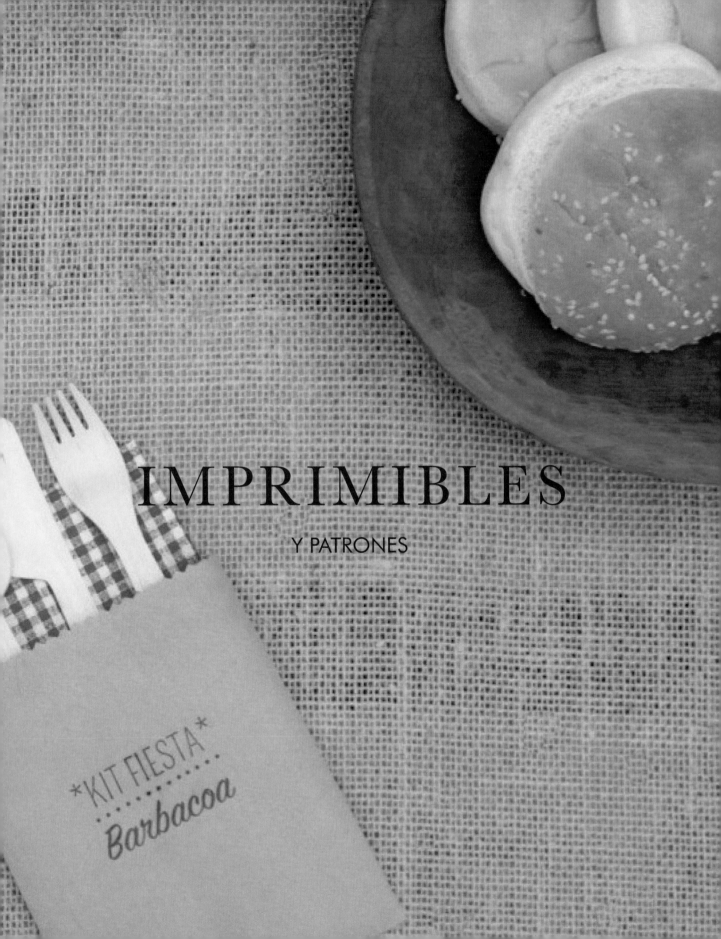

IMPRIMIBLES

Y PATRONES

Pág. 34	Helados
	Banderola helados

Pág. 34	Helados
	Marcasitios

Pág. 37	Helados
	Marcadores de toppings

¡Te invito
a mi fiesta!

FECHA:

HORA:

LUGAR:

Pág 106	Indios
	Etiquetas para bocadillos

Pág 106	Indios
	Etiquetas para cajas

Descárgalos todos aquí
lafiestadeolivia.com/pages/libro
#fiestasbylafiestadeolivia

Pág 82	Drink Gin Bar
	Etiquetas para pajitas

Pág 82	Drink Gin Bar
	Cartel

GOD SAVE THE GIN   GOD SAVE THE GIN

GOD SAVE THE GIN   GOD SAVE THE GIN

GOD SAVE THE GIN   GOD SAVE THE GIN

Pág. 83	Drink Gin Bar
	Etiquetas

Pág. 83	Drink Gin Bar
	Invitación

SOY DE:

....

SOY DE:

....

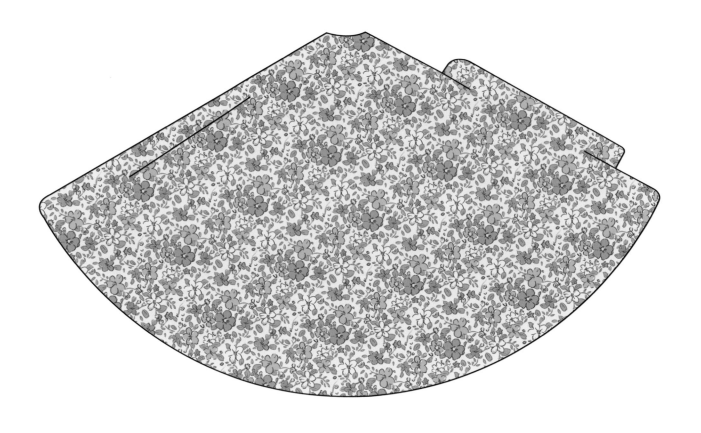

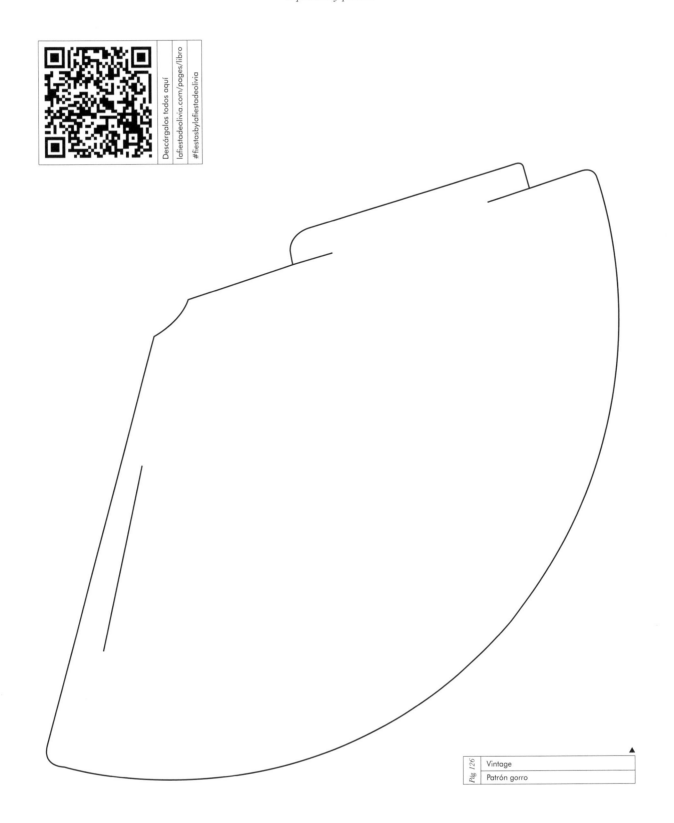

Pág 126	Vintage
	Patrón gorro

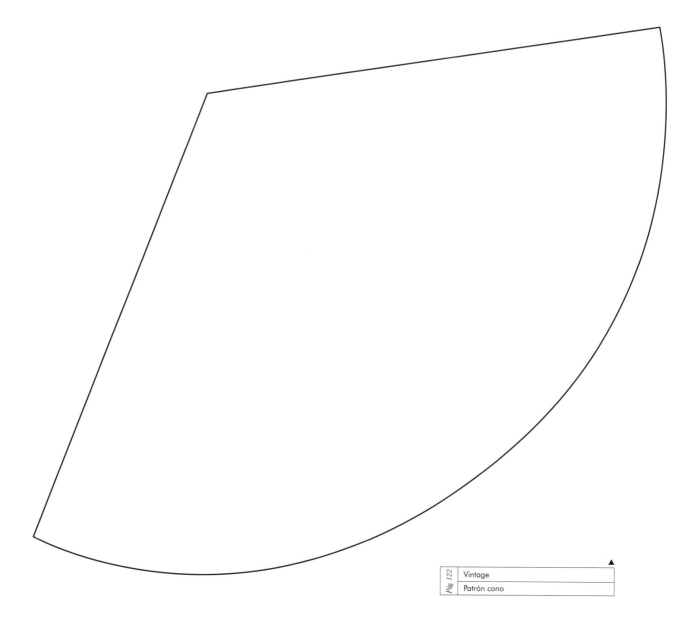

Pág 122	Vintage
	Patrón cono

Pág. 136	Reino del hielo
	Patrón copo de nieve

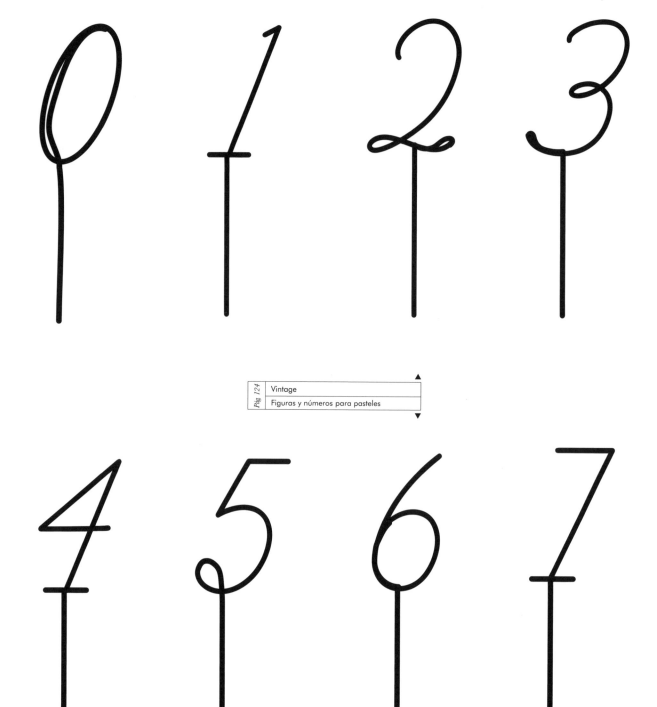

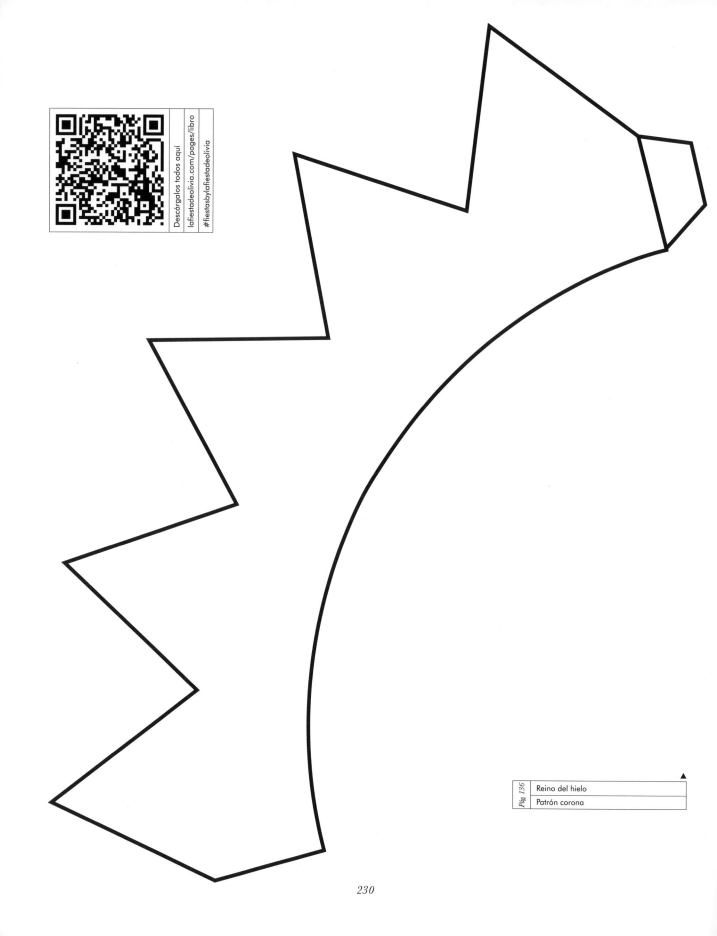

Pág 136	Reino del hielo
	Patrón corona

Pág. 150	Nubes
	Patrón piñata de nube

¡Bienvenidos!

A la fiesta "Congeladas", merendaremos, jugaremos, reiremos y nos daremos abrazos calentitos

Se regan ganas de disfrutar

FELIZ CUMPLE

Nieve Derretida

Nieve Derretida

Pág 152	Nubes
	Patrón molinillos de viento

Pág 154	Nubes
	Etiquetas para botes

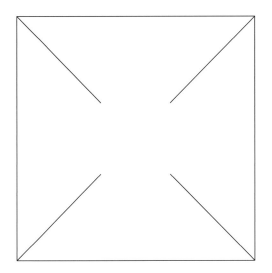

Descárgalos todos aquí
lafiestadeolivia.com/pages/libro
#fiestasbylafiestadeolivia

¡Vamos
de fiesta!

¡Vamos
de fiesta!

* KIT FIESTA *

· · · · · · · · · · ·

Barbacoa

Gracias por formar parte de este día tan especial para nosotros.
Aquí tienes algunas cosas que te ayudarán a sobrellevar mejor el día de mañana.

Pág. 178	Kit supervivencia
	Etiqueta

Té de hierbas súper energizantes. Dejar reposar 5/6 minutos

Té de hierbas súper energizantes. Dejar reposar 5/6 minutos

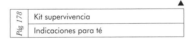

Pág. 178	Kit supervivencia
	Indicaciones para té

VEN A MI FIESTA

CARLOTA CUMPLE 8 AÑOS

Y TE INVITA A CELEBRARLOS
ESTE VIERNES 17 DE MAYO
A LAS 21:00H.
CALLE MUNTANER 879 6 2
BARCELONA

No te olvides de confirmar
Marcela 660194106

La Fiesta de Olivia
www.lafiestadeolivia.com

¡Ven a mi fiesta!

CARLOTA CUMPLE 18 AÑOS

Y TE INVITA A CELEBRARLOS
ESTE VIERNES 17 DE MAYO
A LAS 21:00H.
CALLE MUNTANER 879 6 2
BARCELONA

No te olvides de confirmar
Marcela 660194106

La Fiesta de Olivia
www.lafiestadeolivia.com

¡Es mi cumple!

CARLOTA CUMPLE 8 AÑOS

Y TE INVITA A CELEBRARLOS
ESTE VIERNES 17 DE MAYO
A LAS 21:00H.
CALLE MUNTANER 879 6 2
BARCELONA

No te olvides de confirmar
Marcela 660194106

La Fiesta de Olivia
www.lafiestadeolivia.com

ONE WAY!
PARTY

CARLOTA CUMPLE 8 AÑOS

Y TE INVITA A CELEBRARLOS
ESTE VIERNES 17 DE MAYO
A LAS 21:00H.
CALLE MUNTANER 879 6 2
BARCELONA

No te olvides de confirmar
Marcela 660194106

La Fiesta de Olivia
www.lafiestadeolivia.com

¡Ven a mi fiesta!

CARLOTA CUMPLE 18 AÑOS

Y TE INVITA A CELEBRARLOS
ESTE VIERNES 17 DE MAYO
A LAS 21:00H.
CALLE MUNTANER 879 6 2
BARCELONA

No te olvides de confirmar
Marcela 660194106

La Fiesta de Olivia
www.lafiestadeolivia.com

Lets get THE PARTY STARTED!

CARLOTA CUMPLE 18 AÑOS

Y TE INVITA A CELEBRARLOS
ESTE VIERNES 17 DE MAYO
A LAS 21:00H.
CALLE MUNTANER 879 6 2
BARCELONA

No te olvides de confirmar
Marcela 660194106

La Fiesta de Olivia
www.lafiestadeolivia.com

Pág. 22	12 modelos
	Invitaciones

CARLOTA CUMPLE 18 AÑOS

Y TE INVITA A CELEBRARLOS
ESTE VIERNES 17 DE MAYO
A LAS 21:00H.
CALLE MUNTANER 879 6 2
BARCELONA

No te olvides de confirmar
Marcela 660194106

La Fiesta de Olivia
www.lafiestadeolivia.com

CARLOTA CUMPLE 18 AÑOS

Y TE INVITA A CELEBRARLOS
ESTE VIERNES 17 DE MAYO
A LAS 21:00H.
CALLE MUNTANER 879 6 2
BARCELONA

No te olvides de confirmar
Marcela 660194106

La Fiesta de Olivia
www.lafiestadeolivia.com

TE INVITO A MI FIESTA

CARLOTA CUMPLE 8 AÑOS

Y TE INVITA A CELEBRARLOS
ESTE VIERNES 17 DE MAYO
A LAS 21:00H.
CALLE MUNTANER 879 6 2
BARCELONA

No te olvides de confirmar
Marcela 660194106

La Fiesta de Olivia
www.lafiestadeolivia.com

TE INVITO A MI FIESTA

CARLOTA CUMPLE 8 AÑOS

Y TE INVITA A CELEBRARLOS
ESTE VIERNES 17 DE MAYO
A LAS 21:00H.
CALLE MUNTANER 879 6 2
BARCELONA

No te olvides de confirmar
Marcela 660194106

La Fiesta de Olivia
www.lafiestadeolivia.com

TE INVITO A MI FIESTA

CARLOTA CUMPLE 8 AÑOS

Y TE INVITA A CELEBRARLOS
ESTE VIERNES 17 DE MAYO
A LAS 21:00H.
CALLE MUNTANER 879 6 2
BARCELONA

No te olvides de confirmar
Marcela 660194106

La Fiesta de Olivia
www.lafiestadeolivia.com

Descárgalos todos aquí
lafiestadeolivia.com/pages/libro
#fiestasbylafiestadeolivia

Shopping

Hace unos años era casi imposible encontrar productos bonitos para preparar nuestras fiestas, pero ahora podemos acceder a auténticas maravillas. Las marcas especializadas ofrecen novedades para las diferentes temporadas del año y, cada vez más, sorprenden marcando tendencia.

Puedes adquirir todos los productos utilizados en la realización de este libro en nuestra tienda online: www.lafiestadeolivia.com. Te llevamos a casa, procedentes de distintas partes del mundo, los mejores y más bellos artículos para decorar tu fiesta, contando siempre con las marcas más reconocidas.

Estas son algunas de nuestras marcas favoritas, por diseño y calidad:

Talking Tables	Adoramos los productos de esta casa inglesa; sus mesas se están volviendo todo un clásico. Destacamos la vajilla de usar y tirar con un toque inglés, muy elegante y especial.
My Little Day	Somos totalmente fans de los diseños de estas dos chicas francesas; son limpios, modernos y marcan tendencia. Sus globos decorados se han vuelto casi imprescindibles.
Miss Etoile	Nos encantan sus productos por su original diseño, su calidad inmejorable y unos colores muy conseguidos. Sus stands para pasteles son indispensables para cualquier mesa dulce.
Meri Meri	Te enamorarás de todos los productos de esta marca americana. Fue una de las primeras marcas que diseñó productos para fiestas bonitas y originales, evitando utilizar licencias comerciales.

Agradecimientos

A **Vanessa** y a **Eva** por haber confiado en mí para hacer este libro. Gracias por la libertad que me habéis dado y por vuestra confianza. Ha sido genial trabajar con vosotras.

A **Raquel** por su enorme ayuda en la producción de este libro. La dedicación, el optimismo y el cariño que pones en cada cosa que tocas hace que trabajar a tu lado sea un lujo.

A **Alicia** por todos esos diseños ideales que apoyan nuestras fiestas y por haber sabido plasmar con arte el libro con el que soñaba.

A **Miriam**, por su buen gusto y disposición cada vez que hacíamos esas interminables sesiones de fotos que siempre acabábamos entre risas.

A **Andrés** por su arte y a mi hermana **Karyn** por su ayuda en esas tardes de *shootings* que no olvidaremos nunca.

A **Larysa** por esas galletas maravillosas. ¡Eres una artista!

A **Eli** por darle el toque mágico a esas recetas de cocina.

Y gracias **a ti**, que tienes este libro en tus manos.